Testimonios Nacionales

Raúl Héctor Castagnino

LITERATURA
DRAMÁTICA
ARGENTINA

1717-1967

Primera edición
Diagramación y diseño:
Cardo-Nicolari

© EDITORIAL PLEAMAR
BUENOS AIRES, 1968
Impreso en la Argentina – Printed in Argentina
Queda hecho el depósito de ley

Advertencia preliminar

Éste es un libro de historia con propia "historia". Su concepción y forma inicial datan de 1949. Nació a raíz de un pedido de colaboración que me formuló el ensayista español doctor Guillermo Díaz-Plaja, quien a la sazón preparaba la *Historia general de las literaturas hispánicas*, que luego editó Barna S. A., en Barcelona, y deseaba incluir en ella un panorama de la expresión teatral en Argentina. La extensa monografía titulada *La literatura dramática argentina*, que figura en el tomo V de aquella publicación, corresponde al estado larval del presente estudio. Más tarde, con otras precisiones, en 1950, el Instituto de Historia del Teatro Americano, dentro de un plan de "esquemas", lo difundió con el título de *Esquema de la literatura dramática argentina (1717-1949)*, en volumen independiente, ahora agotado.

Desde aquellos días proseguí y amplié mis investigaciones sobre el pasado del teatro argentino, las alternativas y destino de la literatura dramática nacional. Esas búsquedas y sus resultados quedaron asentados en libros ya conocidos —*Ernesto Rossi, El circo criollo, El teatro romántico de Martín Coronado, Milicia Literaria de Mayo, José L. Pagano, monitor del dies irae, Gregorio de Laferrère, El teatro de Roberto Arlt, Sociología del teatro argentino*—; en prólogos a ediciones de textos —*El teatro de Aurelio Ferretti, El teatro de Florencio Sánchez*—; en cursos universitarios, como los dictados en la Facultad de Ingeniería sobre "Teatro político argentino"; en el Seminario de autores de "Argentores", sobre "Teatro premoreirista" y "Teatro romántico"; en artículos, monografías y conferencias.

Todo ese material y el anticipado en *El teatro de Buenos Aires durante la época de Rosas* se coordina y aprovecha en esta nueva historia, que con el título *Literatura dramática argentina (1717-1967)* delinea y ordena una especie de autocentón con vistas a una interpretación particular del proceso de creación, dentro del género dramático, en Argentina.

Conserva el trabajo, en parte, el método con que fue concebido para su forma primitiva: ordenación cronológica en períodos significativos de la vida cultural argentina, coincidentes con etapas del desarrollo político-social de la Nación; y encuadre de autores y obras con disposición jerárquica en la cual a veces se atiende a las especies predominantes, y otras, a la resonancia de las obras. Esto significa que si bien se ha procurado eludir el catálogo elemental, una visión de conjunto con pretensión de abarcar casi tres siglos en el desarrollo del género, no permite el tratamiento monográfico y exhaustivo para cada obra o autor; pero sí intenta establecer cuál es el lugar que, en los distintos contextos y circunstancias, corresponde a cada uno.

El propósito de incluir en el panorama el presente inmediato de la dramática argentina, obliga a un cambio de método en el capítulo final, atento a lo que las modernas periodologías distinguen entre lo contemporáneo, lo coetáneo y lo actual. Dicho capítulo, que abarca el desarrollo de la dramática argentina, entre 1950 y 1967, adoptará ritmo, criterio y estilos propios de la crónica, dada la dificultad de perfilar con certeza agrupamientos y jerarquías, proveniente de la escasa perspectiva histórica con que se ha debido trabajar.

R. H. C.

City Bell, diciembre de 1967.

I. Introducción y reseña bibliográfica

Toda historia de la literatura dramática argentina, atenida a datos, autores y obras conocidas hasta el presente, queda problematizada esencialmente, desde su nacimiento, por razones derivadas de las coordenadas básicas sobre las cuales ha de desarrollarse: lo geográfico y lo temporal. ¿Es habitual, realmente, entender por literatura dramática argentina la creación teatral realizada en todo el territorio de la nación Argentina? ¿Desde cuándo lo argentino tiene expresión en el género dramático?

Frente al primer interrogante cabe recordar que todas las historias del teatro argentino publicadas hasta ahora son, en buena medida, historia de las actividades teatrales cumplidas en Buenos Aires. El presente ensayo, en parte, intentará innovar en tal sentido, por lo cual enfrenta la ineludible obligación de advertir que circunscriptas investigaciones de estudiosos provincianos —en Mendoza, Santa Fe, Córdoba, Bahía Blanca, Chivilcoy— paulatinamente van abriendo nuevos horizontes al historiador, reveladores de que más allá de la ciudad-puerto hubo inquietud teatral vivida por argentinos. En esta breve historia nacional de la literatura dramática argentina, pues, se intercalarán cronológicamente autores y obras "provincianas", que no figuran en otros estudios generales sobre el teatro vernáculo. De ahí su pretensión de "historia nacional".

Frente al segundo de los interrogantes planteados al comenzar, la delimitación temporal aparece menos rígida, porque de existir manifestaciones dramáticas anteriores a la configuración de la nacionalidad argentina, no hay razón para excluirlas si ellas, de algún modo, enriquecen el acervo dramático rioplatense. No se volverá aquí —aunque se la consignará— sobre la cuestión de los orígenes del teatro nacional, ya dilucidada a través de particular hermenéutica en mi *Sociología del teatro argentino*. En la ordenación cronológica, al delimitar grandes encuadres, se reunirán y sintetizarán fuentes dispersas, vinculándolas con los momentos culturales y cívicos más significativos del pasado patrio. La historia de la literatura dramática sigue paso a paso la evolución político-social del país y es posible demarcarla de acuerdo con los períodos trascendentales. Así —desplegando el plan de la obra y sus capítulos— hasta 1810 se considerará la "Dramática colonial", de ascendencia barroca y seudoclásica; hasta 1820, las "Expresiones dramáticas de la Revolución", inspiradas en el espíritu dieciochesco del enciclopedismo liberal y racionalista, lo mismo que el "Teatro de la Anarquía", prolongado hasta 1829. El "Teatro de la época rosista", entre 1829 y 1852, acusará ecos románticos, al igual que los "Ensayos dramáticos durante la Organización Nacional" que llevan hasta 1884; señalándose el "Fin de siglo y la nueva centuria" por el triple contenido de un teatro gauchesco, el auge del género chico y el simultáneo florecimiento de una dramática de aliento y tendencias realista-naturalistas. Ya en el siglo xx, el fenómeno social del cosmopolitismo, el político y económico de la primera guerra mundial, acompañan un proceso de "Evolución y decadencia" de la dramaturgia que pareció irrumpir vigorosa pero que luego, por la progresiva mercantilización de la escena, al ir revelando desde 1914 a 1950, el efímero auge de ciertas modalidades —como el sainete, el "conventillo", el *cabaret*, la orquesta típica en el escenario, la manía del "capo-comiquismo", etc.—, acentuaron su creciente pauperización y preanunciaron su crisis,

Literatura dramática argentina

prolongada prácticamente desde 1930 a 1955. "La actividad entre 1950 y 1967" descubre, por último, la presencia de nuevos factores y síntomas de reacción, suficientes como para considerarla período de transición y abrir nuevas esperanzas hacia un perfil definitivo de la dramática nacional argentina.

Cada una de estas etapas ofrece características propias. Lógicamente, aquí sólo se apuntarán las expresiones más destacadas de cada una de ellas. El carácter de esquema y panorama cronológico asignado a este ensayo no permite sino apretada síntesis y escueta caracterización de autores y obras significativos. Por tanto, muchos quedarán en el tintero. Pero para suplir forzosas omisiones y cumplir el propósito didáctico que persigue este trabajo, se encabezará, desusadamente, con una reseña historiográfica que incluye y delinea suscintamente la bibliografía fundamental sobre nuestro teatro.

El encuadre que amojona este esquema, abarca desde 1717, fecha de representación de la primera pieza dramática de la cual se tienen noticias, escrita en el territorio de la Gobernación del Río de la Plata, hasta 1967. Los distintos períodos señalados anteriormente determinan el orden de sus capítulos.

El carácter panorámico asignado determina también que, al enumerar los factores gravitantes de sus momentos críticos, se apunten objetivamente las cuestiones fundamentales, sin insistir ni ahondar en ellas, para no quebrar la línea de síntesis escogida de antemano.

Aunque obvia, no ha de abundar la aclaración de que este panorama abordará únicamente la historia y cronología de la literatura dramática en la Argentina, unas veces a través de las obras, otras a través de los autores; se desentenderá, en cambio, de la historia del espectáculo o de la institución teatral.

En estas páginas aparecerá reiteradamente la palabra "criollo". Tal adjetivo suele ser interpretado como sinónimo de lo gauchesco o de lo rural. Es preciso aclarar que aquí se lo emplea según la acepción del *Diccionario de la Lengua* que define como "criollo" lo americano descendiente de lo europeo, el hijo de europeos nacido fuera de Europa, particularmente en América. Literatura dramática criolla es calificación exacta para buena parte de la expresión teatral argentina, que desde su balbuceo más incipiente revela filiación europea. En cambio, podría no serla para algunas manifestaciones "gauchescas", que a veces se engloban en el rubro de "teatro criollo".

La historia del teatro y de la dramática argentinos sólo en parte están realizadas. Dejando de lado el hecho de que hasta no hace mucho tiempo, la referencia haya sido únicamente la de las actividades porteñas, generalizadas a lo nacional, no abundan tampoco las investigaciones exhaustivas en fuentes originales. Sin embargo, esfuerzos aislados, llevados a cabo con intervalos de largos años entre unos y otros, concluidos con criterios y prejuicios distintos, han formado un *corpus* historiográfico cuyos elementos, de dispar valor, no separan en todos los casos el desarrollo histórico del espectáculo y la evolución de la expresión dramática.

Uno de los primeros investigadores, Mariano G. Bosch, publica en 1904, *Teatro antiguo de Buenos Aires*, donde en forma orgánica se mencionan por primera vez aspectos del pasado teatral argentino. El mismo historiador da a conocer, al año siguiente, *Historia de la ópera en Buenos Aires* y, en 1910, la *Historia del teatro en Buenos Aires*, su obra capital de donde —pese a la falta de plan y a la desordenada acumulación de los más diversos datos— han espigado todos los que posteriormente se han ocupado de estos asuntos. La obra orgánica de Bosch sufre un paréntesis hasta la publicación, en 1929, de *Los orígenes del teatro nacional argentino*, donde, con tono polémico, da cuenta de los principales acontecimientos teatrales argentinos ocurridos entre 1884 y 1920, por otra parte, los de más intensa actividad en nuestra escena.

El nombre de Ricardo Rojas, legítimo creador de la his-

Literatura dramática argentina

toria de las letras argentinas, debe ser mencionado en prominente lugar. En los fundamentales volúmenes de *La literatura argentina* da el espacio necesario a la dramática y valora con justo sentido crítico sus momentos, autores y expresiones. Pero la obra de Rojas, respecto del teatro argentino —al que enriqueció, además, con creaciones originales— no para allí, sino que es más provechosa y efectiva, pues organiza, anexo a su cátedra de "Literatura Argentina" de la Facultad de Filosofía y Letras, el "Instituto de Literatura Argentina" e inicia a sus alumnos en la investigación del hecho literario nacional. En la sección "Noticias para la historia del teatro nacional" alcanza a publicar las siguientes monografías: *Nicolás Granada*, por Augusto R. Cortazar; *David Peña*, por Aída Cometta Manzoni; *Juan A. Casacuberta*, por María A. Oyuela; *Abdón Aróstegui*, por Dora Corti; *Justo S. López de Gomara*, por Ana María López de Medina; *Emilio Berisso*, por Virginia Etcheto de Badano. Además, otros estudios incluidos en la sección "Crítica" de las publicaciones de aquel Instituto, aportan elementos para la historia del teatro, como ser: *Un dramaturgo olvidado: don Francisco Fernández*, de Ricardo Rojas; *El "Filippo" de Alfieri en Buenos Aires*, de Alfonso Corti; *Sarmiento, crítico teatral*, por Juan Pablo Echagüe; *El teatro de Florencio Sánchez*, de Dora Corti; *Ezequiel Soria, zarzuelista criollo*, de Ismael Moya; *El americanismo en el teatro y en la prédica de Sarmiento*, por Ismael Moya; *Martiniano Leguizamón y su égloga "Calandria"*, de Julia Griffone; *El teatro de Ernesto Herrera*, por Carmelo M. Bonet. A estas secciones se suma la de *Documentos de los orígenes del teatro nacional*, con cuarenta volúmenes publicados, cada uno de ellos con una obra dramática de autor argentino, precedida de prólogo responsable.

En 1926, Enrique García Velloso, al componer *El arte del comediante*, texto y antología para los cursos del Conservatorio Nacional de Música y Declamación, incluye noticias y recuerdos personales sobre nuestro pasado teatral, algunos de los cuales han motivado interminables discusiones, por su proclividad fantasiosa.

En 1932, Alfredo Taullard publica *Historia de nuestros viejos teatros*, trabajo realizado, como confiesa el autor, "a punta de tijeras", que aporta —por primera vez en la bibliografía de la disciplina— material gráfico.

Oscar R. Beltrán divulga en *Los orígenes del teatro argentino* (1934) algunos datos ya establecidos por historiadores anteriores y los pone al alcance popular. Sólo diez años más tarde aparece otro trabajo de carácter general: *Historia del teatro argentino* del periodista Ernesto Morales, quien usufructúa informaciones ya conocidas al trazar un personal panorama.

El teatro en Buenos Aires durante la época de Rosas (1944), de Raúl H. Castagnino, circunscribe la investigación a un período determinado (1829-1852) e intenta demostrar la posibilidad de realizar minuciosa y exhaustivamente la reconstrucción del pasado teatral argentino sobre la base de métodos científicos de crítica e investigación.

En noviembre de 1946, Luis Ordaz publica *El teatro en el Río de la Plata*, aporte que tiene el mérito de avanzar el proceso historiográfico del teatro vernáculo, detenido en los alrededores del año 1925, hasta aquella fecha.

J. L. Trenti Rocamora, en setiembre de 1947, da a conocer *El teatro en la América colonial* con nuevos datos y elementos para reconstruir un período prácticamente ignorado.

En octubre de 1947, Arturo Berenguer Carisomo entrega *Las ideas estéticas en el teatro argentino*, ensayo de ordenación de escuelas y corrientes estéticas en la escena nacional.

Alfredo de la Guardia, en 1948, publica *El teatro contemporáneo*, en el cual ubica nuestra dramática dentro del proceso actual y universal del teatro.

En 1950, una versión del *Esquema de la literatura dramática argentina*, de Raúl H. Castagnino, procura agrupar y clasificar obras y autores, en una sistematización que facilita ulteriores críticas y estudios en profundidad.

Quedan por mencionar otras historias generales de la literatura, americana o argentina, como las de Julio Leguizamón y Arturo Giménez Pastor o la más reciente dirigida por Rafael Alberto Arrieta, que dedican sendos capítulos al teatro. Lo mismo que la *Historia general de las literaturas hispanas,* dirigida en Barcelona por Guillermo Díaz Plaja y algunos estudios sobre el teatro hispanoamericano, como los de Agustín del Saz, Carlos Solórzano o Willis Knapp Jones, que también se ocupan de la literatura dramática argentina; o los contenidos en el *Panorama das literaturas das Américas,* publicado en Angola, en 1958.

Además de estas obras de carácter genérico, la bibliografía teatral argentina cuenta con algunas monografías y ensayos que complementan aspectos parciales. Así, por ejemplo, los de José Torre Revello: *Orígenes del teatro en Hispano-América, Los teatros en el Buenos Aires del siglo* XVIII, *El teatro en la Colonia* y *Crónicas del Buenos Aires colonial,* estudian, junto con el *Manuel de Lavardén,* de Mariano G. Bosch y los estudios de Juan María Gutiérrez, José Antonio Pillado, Raúl Moglia, Julio Caillet-Bois, Carlos Peralta Alvear, Jorge Escalada Yriondo y otros, aspectos de la actividad dramática durante el período de la dominación hispánica.

La *Dramaturgia argentina,* de María Velazco Arias; *El teatro rioplatense,* de Vicente Rossi, fundan interpretaciones y teorías. Los artículos *Sobre el teatro nacional,* de Juan Agustín García; los ensayos reunidos bajo el título de *El teatro argentino como problema nacional,* por José Assaf y *El verdadero origen del teatro nacional,* de Ernesto Marsili, se empeñan en tesis polémicas. *El circo criollo* y *Centurias del circo criollo,* de Raúl H. Castagnino, estudian aspectos colindantes al hecho teatral argentino y sus relaciones.

Una época del teatro argentino, Puntos de vista y *Prosa de combate,* de Juan Pablo Echagüe; *Cómo estrenan nuestros autores,* de José León Pagano; *Veinticinco años de teatro nacional,* de Alfredo Bianchi; *Críticas negativas,* de Nicolás Coronado, y otros tantos volúmenes de igual tenor de Luis Rodríguez Acasuso, Enrique Loncán, Octavio Palazzolo, Rodolfo Rodríguez, Max Viale, Méndez Calzada, etc., acumulan la diaria crónica periodística, registrada tras cada estreno nacional.

Es importante también en la referencia bibliográfica la mención de las evocaciones realizadas, entre otros, por Juan Antonio Wilde, Manuel Bilbao, Octavio Batolla, Víctor Gálvez, Juan A. Pillado, Santiago Calzadilla, Pastor Obligado y Vicente Martínez Cuitiño. También paulatinamente, van cobrando volumen las *Memorias,* como las ya publicadas de José J. Podestá, Vicente Salaberry, Enrique García Velloso, Florencio Parravicini, Enrique Muiño, Federico Mertens, Francisco Bastardi o Carlos Schaeffer Gallo.

En los últimos tiempos, los estudios sobre la literatura dramática argentina se han intensificado, canalizándose con mejores métodos de trabajo y mayor vuelo cultural. Se reúnen sistemáticas bibliografías de autores, como las que edita el Fondo Nacional de las Artes; se orienta la investigación hacia las temáticas específicas, como ocurre con trabajos como *Historia del sainete nacional,* de Blas Raúl Gallo; *Indagación de lo argentino,* de Amelia Sánchez Garrido; *El tema de la mala vida en el teatro nacional* y *Evolución de la Argentina, vista por el teatro nacional,* de Domingo F. Casadevall; *Sociología del teatro argentino,* por Raúl H. Castagnino; *Nuevos temas en el teatro argentino,* de Ángela B. A. de Pagella; se perfilan las biografías y estudios sobre dramaturgos y comediógrafos, como los realizados sobre Florencio Sánchez, por Roberto Giusti, R. González Pacheco, Arturo Vázquez Cey, Julio Imbert, Dora Corti y otros; o las que se incluyen en *El teatro romántico de Martín Coronado* y *El teatro de Roberto Arlt,* de Raúl H. Castagnino; en *Julio Sánchez Gardel,* de Delfín L. Garasa; en *Gregorio de Laferrere,* de Julio Im-

Literatura dramática argentina

bert; en *González Pacheco*, de Alfredo de la Guardia; en *Samuel Eichelbaum*, de Jorge Cruz; en *Enrique García Velloso*, de Juan José de Urquiza; en *Payró, el hombre y la obra*, de Raúl Larra. Se observa, además, como síntoma promisorio, la edición de obras teatrales, generalmente precedidas de estudios importantes. Y aun la actividad teatral no profesional cuenta con propia bibliografía como *El alma del teatro independiente*, de Enrique Agilda; *El teatro independiente en la Argentina*, de Emilio Carilla, y *El teatro independiente*, de José Marial.

Otra novedad que requiere especial consignación en una nómina historiográfica, por su trascendencia en la visión conjunta de la literatura dramática nacional, la constituyen las investigaciones sobre actividades teatrales regionales. A la antigua *Historia del teatro en Bahía Blanca*, publicada en el año 1913, por Ovidio Martínez, cabe agregar la *Historia del teatro en Mendoza*, de Humberto Crimi; los estudios de J. López Rosas sobre la actividad teatral en el Litoral; los de Alfredo Roggiano sobre representaciones y autores de Chivilcoy, y el sólido aporte de Efrain U. Bischoff: *Tres siglos de teatro en Córdoba*, prolongado, luego, en otros trabajos menores, como *El teatro Rivera Indarte*.

No podía concluir esta reseña sin mencionar, por una parte, el Instituto Nacional de Estudios de Teatro, que ha realizado valiosos aportes para el mejor conocimiento del pasado teatral argentino, por medio de periódicos *Cuadernos de cultura teatral*, del *Boletín* y de la *Revista de estudios de teatro* y de su *Museo nacional de teatro*. Por otra, el *Diccionario teatral del Río de la Plata*, valiosa guía alfabética de datos sobre personas, obras y antecedentes relacionados con el teatro, llevada a cabo por Tito Livio Foppa, aunque no revisada finalmente por él, razón por la cual algunas de sus referencias han de tomarse con recaudos.

II. **Dramática colonial (1717-1810)**

Las que constituyen hoy naciones hispanoamericanas carecían hasta el siglo XVIII, de vida propia. Por leyes, gobierno y costumbres se ajustaba su total dependencia de la Metrópoli. España se prolongaba en el Nuevo Mundo y el espíritu español de sus habitantes se manifestaba a través de dos elementos de trascendencia política y social: lealtad al rey y firme religiosidad.

El conjunto de la dominación hispana se había agrupado, administrativa y culturalmente, desde sus comienzos, en torno de tres centros neurálgicos: Perú, México y Buenos Aires. Este último sólo era cabeza de Gobernación, dependiente de Perú; los otros constituían virreinatos. Mas, la situación geográfica asignaba a la ciudad fundada por Pedro de Mendoza gran importancia comercial y la convertía en zona de irradiación política, económica y cultural, hasta determinar la creación del nuevo Virreinato del Río de la Plata, en 1776, por Carlos III.

El ambiente colonial rioplatense, según el paradigma de Buenos Aires, era de tranquilidad e inoperancia intelectual. Las clases sociales estaban diferenciadas: aristocracia española, burócratas, criollos, mestizos, esclavos; y, por sobre ellas, el clero, con extraordinario influjo.

Buenos Aires no tuvo teatro estable hasta la segunda mitad del siglo XVIII. Pero el vecindario, lo mismo que el de otros lugares de la Gobernación, aficionado a las representaciones dramáticas, supo improvisar desde mucho antes tablados y corrales con los cuales, generalmente al festejar acontecimientos relacionados con la Corona y la casa reinante, o con algún santo, satisfizo la afición.

En el capítulo V de mi *Sociología del teatro argentino* he advertido cómo bajo el rubro de teatro colonial se engloban el que corresponde al tiempo de la dominación hispánica y ciertas modalidades que, si bien realizadas después de 1810, prolongan más allá de esta fecha, la mentalidad colonial. El primero presenta dos variantes: teatro religioso —documento de diversas actitudes de la Iglesia frente al espectáculo escénico— y teatro profano.

En todo el ámbito territorial del Río de la Plata, patrocinadas por órdenes y congregaciones religiosas, se llevaron a cabo con cierta regularidad representaciones teatrales. Se posee información concreta acerca de funciones en Córdoba y Tucumán, en 1610; en Santiago del Estero, en 1613; en Mendoza, en 1618; en las Misiones Guaraníticas, en 1640, y de las interpretaciones de las piezas *Las glorias del mejor siglo* y del drama *Judith*, ambas animadas por alumnos de los colegios de la Compañía, en Buenos Aires.

En cuanto al teatro profano, sus primeras manifestaciones coloniales, de increíble rusticidad, se relacionan con razones estrictamente sociales: la sátira política. Hacia 1544, en Asunción, se representó una burda farsa compuesta por un clérigo contra el adelantado Álvar Núñez Cabeza de Vaca. Al respecto, el sacerdote y cronista Francisco González Paniagua cuenta en un *Memorial* de ese año 1544 que el clérigo Juan Gabriel Lezcano compuso una farsa y él mismo la ayudó a representar, tomando hábito de un pastor, en el día de Corpus Christi, delante del Santísimo Sacramento, "la cual fue otro segundo libelo contra el gobernador llamándole *lobo rebaço* e imponiéndole otras cosas que aunque más ocultas iban impuestas de muy grandes malicias; al fin fue tal la farsa que entre los que estaban libres de pasión fue mayor

Literatura dramática argentina

la infamia del reverendo padre que el servicio que hizo al Santísimo Sacramento".

Al año siguiente, 1545, también en Asunción, se compone otra farsa, esta vez contra el capitán Diego Martínez de Irala, de la cual hay alusión en el poema *Argentina,* de Martín del Barco Centenera, cuando dice:

> A punto tal llegó el atrevimiento
> del bando de Irala, que casando
> su hija con Vergara, por contento
> y placer, un soldado suspirando
> en una farsa sale descontento
> y roto y pobre, y otro preguntado
> y él responde, diciendo: ¿Quién era?;
> —De los leales soy, que no debiera.
> —¿Qué, de los leales sois?, le dice luego:
> Mirad pues bien el pago que sacado
> habéis de esta contienda y triste juego,
> que tan contra razón habéis jugado;
> —Hermano, por ventura estáis tan ciego
> que es andar de pie quebrado.
> El triste del leal dice temblando:
> —Hermano, lo que sé es que estoy penando.

Otra pantomima se juega en 1733, en Catamarca, contra el gobernador de ese lugar, según quedan noticias de un *Informe* de ingenua redacción que aquél envía a la Corona. Se tienen datos de que en 1723, en Buenos Aires, se representaron comedias con motivo del desposorio de los príncipes; y hay documento que habla de representaciones en 1747, referidas a festejos celebrados con motivo del advenimiento de Fernando VI al trono. En 1757 se estableció el primer teatro permanente, cuyos propietarios, Pedro Aguiar y Domingo Sacomano, hicieron el repertorio entonces en boga en los teatros peninsulares. García Velloso habló de la existencia de otros teatros: en 1747, uno instalado por Eusebio Maciel; en

1758, otro con la denominación de "El corral porteño". Pero ningún documento preciso se ha hallado respecto de ellos.

El segundo coliseo estable con que contó el Virreinato del Río de la Plata fue el *Teatro de Ranchería*. Unos dicen que se instaló en 1778; otros, que se inauguró en 1783. Era un galpón de madera con techo de pajas, levantado por el empresario Francisco Velarde, cuya erección pudo realizarse por la presencia de un virrey progresista, Vértiz, quien apoyó la iniciativa pese a muy serias oposiciones y dificultades. El clero, en algunas oportunidades, trató de impedir la empresa y la actividad teatral con todo el peso de su influjo. No obstante, pudo más la habilidad política de Vértiz, quien supo arbitrar todos los recursos a su alcance para llevar a buen término la aventura: desde alumbrar y empedrar calles para facilitar el acceso a la *Ranchería* hasta prestigiar con su presencia y la de su corte las veladas; desde destinar los ingresos a fines de caridad hasta incitar a los contados intelectuales disponibles para que ensayaran la literatura dramática.

La vida de este teatro fue muy breve, pues se incendió la tarde del 16 de agosto de 1792, al estallar en su techo pajizo un cohete disparado desde los fondos de la Iglesia de San Juan de los Capuchinos, con motivo de las fiestas en honor de San Roque, que allá celebraban.

El repertorio dramático de la *Ranchería* es el mismo que el de los escenarios hispanos. Junto a comedias de Calderón y Moreto aparecen los engendros de "un ingenio de esta Corte", que tanto mal han hecho al gusto popular español durante el siglo XVIII y que son el lastre que durante mucho tiempo impidió a nuestra dramática alzar vuelo artístico y a nuestros públicos aguzar un alto sentido estético-crítico.

Pero, para la historia del teatro argentino, la *Ranchería* brinda escenario para el estreno de una obra autóctona: *Siripo*, tragedia de Manuel de Lavardén, estrenada una noche del carnaval de 1789. Hasta fecha reciente se tenía la tragedia *Siripo*, de Lavardén, junto con una *Loa*, que data de 1761,

Literatura dramática argentina

descubierta y publicada por Ricardo Rojas, por las piezas teatrales rioplatenses más antiguas. Sin embargo, en el *Boletín de estudios de teatro* N° 15 (octubre de 1946), J. L. Trenti Rocamora dio a conocer una nueva *Loa*, representada mucho antes, en 1717. Es ésta, por ahora, la pieza más antigua que se conoce en su texto íntegro, de entre las representadas en el ámbito territorial del Río de la Plata, y la primera de autor vernáculo, pues consta que fue escrita por Antonio Fuentes del Arco, oriundo de Santa Fe, funcionario de la Colonia y militar, emparentado con antiguas y nobles familias de aquella ciudad. "La *Loa* escrita por Antonio Fuentes del Arco —dice el antes citado historiador— se representó en el año de 1717, en la celebridad de su santo patrono, el doctor de la Iglesia, San Jerónimo, que es el día 30 de setiembre". Esta pieza, compuesta para servir de prólogo a la representación de la comedia de Moreto: *No puede ser guardar una mujer*, contiene alusiones al santo patrono, al rey Felipe V y a dicha comedia; pero interesa anotar sus referencias al paisaje santafecino, particularmente al río Paraná, de cuyos saltos dice que son bocas "que, para bostezar, el monte ha abierto". Desde un punto estrictamente dramático, carece de significación, pues, en realidad, no posee estructura teatral y, en síntesis, se trata sólo de la salida a escena de tres caballeros que sucesivamente entonan sendos elogios al monarca, a San Jerónimo y a las autoridades locales.

De parecida factura y filiación son otras muestras conservadas. Así la *Loa en honor de Carlos III*, de 1760, y la que ha sido denominada *El año 1775 en Buenos Aires*, ambas anónimas. También Manuel de Lavardén estrenó en la *Ranchería* la loa de circunstancia, titulada *La inclusa*. Y aún después de 1810, ya en marcha el espíritu patrio, todavía se escriben loas de análogas características, como la *Loa del padre y del hijo*, compuesta para presentación de un cómico novicio.

Por lo que respecta a *Siripo,* según referencias contemporáneas —ya que el texto completo ha desaparecido y se duda con fundamento de la autenticidad de algunos fragmentos guardados en la Biblioteca del Congreso, entre los papeles de Juan María Gutiérrez— se conjetura que debió ser tragedia de molde seudoclásico, en versos endecasílabos, cuyo contenido inauguró el tema indianista en las letras rioplatenses. El asunto de *Siripo:* la muerte de Lucía Miranda —sea real o imaginario el episodio, adivinado en las Crónicas de Indias, más que documentado por los cronistas— fue tratado frecuentemente en el teatro y en la novela argentinos: Luis A. Morante, Miguel Ortega, Rosa Guerra, Eduarda García Mansilla, Hugo Wast, Bayón Herrera, son otros tantos autores que luego lo aprovecharán dramática o épicamente.

Desaparecida la *Ranchería* en 1792, Buenos Aires quedó sin teatro estable; pero el interés de la población por el arte escénico se mantuvo gracias a las representaciones llevadas a cabo en tablados improvisados. En 1804 se comienza a edificar otra sala, la cual, por dificultades de toda índole, tomó carácter provisional debido a su precariedad, mientras se decidía la edificación de otra definitiva. El nuevo teatro con que contó Buenos Aires se abrió en 1804 y se denominó *Coliseo provisional de comedias;* luego, se lo llamó simplemente *Coliseo,* hasta 1828, año en que se cambió el nombre por el de *Teatro argentino.*

Sin documentación precisa, aunque con el valioso apoyo del texto conservado, Mariano G. Bosch afirma que entre 1792 y 1804, en los tabladillos improvisados, se representó otra pieza de carácter vernáculo: *El amor de la estanciera,* sainete criollo que se entremezcla con el repertorio hispano de rigor. Esta pieza ha sido publicada, por primera vez, por el *Instituto de Literatura argentina* y en el prólogo con que encabeza la edición, Bosch conjetura el origen posterior a 1780 y anterior a 1795, apoyándose en referencias que se traslucen en el texto.

Literatura dramática argentina

El amor de la estanciera, de autor anónimo, es el más lejano antecedente de teatro gauchesco que posee la literatura dramática argentina. Su acción trascurre en un característico rancho criollo. Ambientan la escena, como únicos asientos, osamentas de vacas y caballos. El lenguaje posee el colorido, los modismos y las deformaciones del habla agauchada. Su argumento se refiere a las pretensiones de un portugués rico y fanfarrón —personaje a menudo ridiculizado en la época— hacia Chepa, muchachita también requerida por el mozo Juancho Perucho. Pancha, su madre, propicia las aspiraciones del pretendiente rico. Pero, con el beneplácito de Cancho, padre de Chepa, triunfan los amores de Juancho. Los consejos del viejo Cancho a los enamorados recuerdan el tipo, entre cínico y práctico, de los del viejo Vizcacha. La pieza remata risueñamente mostrando al portugués fanfarrón de cocinero en las bodas de Juancho y Chepa.

La historia de la dramática rioplatense de los días de la Colonia se ha enriquecido recientemente con el descubrimiento de los textos teatrales de un autor que vivió y escribió en Córdoba y que, como bien afirma Efrain U. Bischoff, en *Tres siglos de teatro en Córdoba*, sería el primero que injertó en sus obras indicaciones de típico sabor local, como ocurre en el diálogo *Estanque y alameda de Córdoba*. Se trata de Cristóbal de Aguilar, quien sobrevivió en dicha ciudad hasta 1828; autor y arreglador de varias piezas teatrales de discreto valor artístico, entre las que sobresale el sainete: *Venció al desprecio el desdén*, versificado con soltura, y que sigue de cerca la trama de la obra casi homónima de Moreto: *El desdén con el desdén*. Otras obras de Cristóbal de Aguilar son las tituladas: *Tertulia de poesía*, diálogo; *Sobre las ventajas de la vida privada del campo...*, diálogo; *La industria contra la fuerza*, sainete; *El triunfo de la prudencia*, drama; *El premio de la codicia*, sainete; *Preocupaciones de la soberbia*, diálogo; *Los niños y los locos dicen las verdades*, diálogo crítico; además de glosas, décimas, epitafios y otras composiciones poéticas.

De probarse definitivamente la paternidad de Cristóbal de Aguilar sobre todas las piezas anteriores se estaría frente al autor colonial de más abundante producción dramática.

El *Coliseo Provisional*, de Buenos Aires, no vio representada ninguna de las piezas de Aguilar. La existencia de las mismas constituye una realidad que ha de alertar al historiador acerca de no incurrir, una vez más, en el error de extender la actividad teatral porteña como actividad total del virreinato o de la nueva nación. Sin embargo, la referencia básica, hasta el momento, no puede ser otra que la de Buenos Aires.

Su *Coliseo* funcionó con intermitencias hasta 1806, año en que la invasión inglesa conmovió a la ciudad y, por otra parte, las acciones bélicas causaron deterioros en el edificio teatral, convertido en arsenal. El repertorio de esos años incluye obras de Calderón, Zavala y Zomosa, Valladares y Sotomayor; y algunas traducciones, como *La buena criada*, de Goldoni, y *La Zaira*, de Voltaire.

No se sabe a ciencia cierta si, entre 1806 y 1810, hubo funciones en el *Coliseo Provisional*, pues, al parecer, no habría documentos ni referencias que prueben la continuidad de un repertorio, como pretenden sostener algunos investigadores, apoyados en el viejo libro de Bosch, que llegan hasta trascribir posibles piezas interpretadas. En una conferencia sobre *El teatro porteño durante el período hispánico* (Cf.: revista *Estudios* Nº 425, tomo LXXVIIII, diciembre 1947), J. L. Trenti Rocamora afirmó que el historiador Torre Revello habría hallado un documento por el cual se probaría que hubo exhibiciones en el *Coliseo Provisional* durante el tiempo de la ocupación inglesa y que el cese de aquéllas data desde la Reconquista.

Cuando el *Coliseo* se reabre a fines de 1810, su actividad

"ya no pertenece a la historia del teatro colonial, sino a la del revolucionario".

Aunque no en Buenos Aires, sino en Montevideo, entonces parte del mismo virreinato, cabe añadir que las invasiones inglesas inspiraron al sacerdote Francisco Martínez un drama alegórico, en dos actos y en verso, titulado: *La lealtad más acendrada y Buenos Aires vengada*, que se representó en 1808, en aquella ciudad, para honrar al pueblo de Buenos Aires. Luego el autor pidió que su obra se publicara con fondos del erario público y no lo logró. En 1837, Luciano Lira la incluyó en el tomo III de la antología *El Parnaso oriental*.

La pieza constituye una pintoresca mezcla de teatro alegórico barroco, de elementos dieciochescos, de personajes históricos, seres mitológicos y entidades abstractas personificadas. Está llena de absurdos y contradicciones. La acción se inicia en Montevideo y la acotación introductoria dice: "La escena representará una vistosa selva (¿) en cuyo centro habrá un trono bajo y en él una Ninfa vestida de blanco y con guirnalda de flores". Entre los personajes simbólicos que intervienen, junto a Liniers aparecen Marte y Neptuno, representando a España e Inglaterra, respectivamente; oficiales, pueblo y algunos personajes-alegorías del Comercio, de los Hacendados, el Cabildo, etc.

La situación culminante se plantea cuando Neptuno y Marte disputan y éste vence. Inglaterra, el enemigo hereje, ha sido derrotada y la religión ha quedado a salvo.

A pesar de las incertidumbres que lo rodean, la dramática de la Colonia debe cerrarse con la mención de un curioso texto anónimo, que pareciera anticipar aires de rebeldía, el alma criolla de la patria futura. Entre papeles olvidados por casi todos los historiadores teatrales, se conserva un extraño "fin de fiesta", de 1776, carente de título, donde la presencia de influjos de la Enciclopedia y del racionalismo, anticipan un precursor antihispanismo en el Río de la Plata. Este traspapelado "fin de fiesta" alude —al parecer burlescamente— a una *Sociedad Antihispana*, que habría funcionado en Buenos Aires, hacia 1775 para "fomentar la revolución criolla contra el poder europeo". Muchos rasgos parecen filiarlo como rioplatense. Alude al virrey Vértiz y a la cuestión con los portugueses de Brasil. Aunque la nómina de sus personajes se eleva a siete, en realidad se trata de un diálogo entre el Marqués de Grimaldi y un Canciller. La lectura es pesada, carece de sentido teatral y su asunto gira en torno de una reunión de dicha Junta Antihispana que se celebra anualmente el Día de Inocentes, razón por la cual resulta difícil decidir si está escrita "en serio" o como farsa.

Resumiendo: la dramática colonial trasplanta al Río de la Plata los rasgos más endebles del teatro hispano. Cuando adquiere alguna fisonomía local, ya atañe a una faz de decadencia con respecto del prestigio y brillo que alcanzara en su Edad de Oro.

III. Expresiones dramáticas de la revolución (1810-1820)

A partir de 1810, proclamado el 25 de mayo un nuevo orden político en las ex colonias del Río de la Plata, se entabla la lucha para afianzar materialmente la libertad de la nueva nación frente a los reclamos y resistencia de la Metrópoli.

En lo referente al teatro, éste se torna militante. Ya con anterioridad a la fecha gloriosa, habrían llegado al recinto las pasiones políticas del momento. Don Vicente Fidel López, en la novelita histórica *La gran semana de 1810,* atribuye a D. Buenaventura Arzac una carta fechada el domingo 20 de mayo de 1810, y dirigida al presbítero Mariano Orma, en la cual se da cuenta de un supuesto incidente patriótico, ocurrido en el *Coliseo,* en aquellas jornadas precedentes al 25 histórico. Si bien cuanto allí se escribe es producto de la imaginación del novelista, es interesante reproducir el fragmento pertinente, pues en él se refleja una real efervescencia popular y, aunque apócrifo el documento, la militancia de las obras citadas, actores y espectadores, será luego confirmada en funciones y actuaciones posteriores, de las cuales sí se posee documentación. Dice el novelista:

> ... mientras los comandantes estaban con él (Cisneros), hubo una ziquizarra de aplaca en el teatro. Hacía dos días que estaba anunciada para hoy, domingo, la tragedia *Roma salvada.* Muchos oficiales de los nuestros nos habíamos juntado allí;

cuando salió Culebras a anunciarnos que por enfermedad de Morante se había cambiado la función, y que se iba a representar la *Misantropía*. Pero el pardito Viera nos decía a todos en los corredores que Morante estaba bueno, y que el regidor de policía Domínguez era quien lo había obligado a Morante a cambiar la función. Al momento se levantó un grande incendio en la platea. Juan José, Melián, Rubio, Mendizábal y otros oficiales, con tu servidor también, saltamos al proscenio y sacamos por la fuerza a Morante a decir que se iba a dar *Roma salvada* que se había anunciado. Domínguez se fue protestando que iba a traer la Guardia del Fijo; y nosotros hicimos atravesar del cuartel de enfrente todos los sargentos y cabos que estaban sin servicio urgente.

Apenas comenzó la tragedia se vino abajo el teatro de vivas y aplausos; y los oidores Reyes y Caspe que entraban en su palco se pusieron el sombrero como despreciando al pueblo. Los gritos de ¡Abajo el sombrero! y de ¡Afuera! ¡Afuera! atronaron la sala, y los oidores se salieron. Estaba por terminarse el tercer acto, cuando entraron con aire de matasiete y de chulos el capitán de veteranos Marín Ochoteco, Arteaga el oficial mayor de la Secretaría de Guerra, unos cuantos marinos y varios otros godos. No bien los vimos, cuando Juan José puso la cara de malo y pendenciero que tú le conoces; y todos nos pusimos en facha por si llegaba el caso de irnos a las manos, con los bastones o con el diablo, pues no faltó quien alcanzara algunas pistolas.

Pocos momentos después Morante, que hacía el papel de Cicerón, declamó con entusiasmo y voz de trueno, aquellos hermosos versos del cuarto acto, que todos esperábamos para aplaudir como unos locos:

> Entre regir el mundo o ser esclavos,
> elegid, vencedores de la tierra.
> ¡Glorias de Roma, majestad herida,
> de tu sepulcro al pie, patria, despierta!
> César, Murena, Lúculo, escuchadme:
> Roma exige un caudillo en sus querellas.
> Guardemos la igualdad para otros tiempos

¡el Galo ya está en Roma! Vuestra empresa
del gran Camilo necesita el hierro.
¡Un dictador, un vengador, un brazo!
¡Designad al más digno y yo lo sigo!

Aquello fue un frenesí de aplausos, de gritos, de bravos y de golpes. Juan José se paró sobre el banco y gritó: *¡Viva Buenos Aires libre!* Pero al mismo tiempo, del banco de los goditos salió un silbido. Juan José, furioso, creyó que Ochoteco se había burlado de él. Con el buen genio y la amabilidad que tú le conoces, saltó sobre él y en un pestañear de ojos le tiró un bastonazo a la cabeza que le echó al suelo el sombrero y le dio en la frente. Cuando Ochoteco y Arteaga sacaban sus pistolas, ya estábamos nosotros encima de ellos. Tú sabes que Dios me ha favorecido con dos varas de altura y unos brazos para el caso. Yo, pues, agarré a Arteaga por el cuello, lo doblé sobre el banco, al mismo tiempo que disparaba la pistola sobre el techo sin herir a nadie.

Ochoteco erró el fuego; los demás salieron disparando al vernos fuertes por el número y por la ira. Cicerón (Morante) se reía a carcajadas en el proscenio; y de empujón a manotadas los echamos a todos afuera y nos quedamos dueños del teatro, que se llenó al momento de patricios sin entrada. Hicimos seguir la tragedia; y salimos de allí como en una fiesta llevando a Cicerón en andas, y dejando al gallego Catilina (Culebras), avergonzado de su derrota romana en las tablas

B. V. A.

Sugestivamente, a los efectos literarios, el incidente político imaginado —históricamente inverosímil en algunos detalles— ocurre en el teatro cinco días antes del grito libertario. En mi libro *Milicia literaria de Mayo* (capítulo II) he puntualizado el proceso teatral en 1810, estableciendo su situación real.

El episodio imaginado por Vicente F. López ha sido investigado por algunos historiadores contemporáneos, particularmente Antonio Monzón, en el ensayo *El teatro porteño en el histórico año de la Revolución de Mayo.* Se muestra especialmente el error en los pormenores. Dejando de lado el hecho de que Culebras habría llegado al país en 1811, dato algo difícil de verificar, es indudable que el *Coliseo Provisional,* único teatro existente, estuvo cerrado por lo menos desde 1807; y que en Buenos Aires sólo hubo esporádicas funciones de volatines o tabladillos improvisados, como el de "El sol", habilitado en abril de 1808, en la intersección de las actuales calles Reconquista y Lavalle, es decir, a pocos pasos del abandonado *Coliseo Provisional,* que se levantaba frente a la Iglesia de la Merced, en Reconquista y Cangallo. En 1809, se solicitó al virrey Cisneros autorización para reabrir el *Coliseo;* ésta no fue concedida por el mal estado del edificio, pero se invitó a los empresarios a que se procuraran otro local menos ruinoso y, además, distante del templo. Como los asentistas, Segismundo y Zelaya, no encontraron capitalistas para la empresa, recurrieron nuevamente a las autoridades en procura de un préstamo por 4.000 pesos, necesarios para la construcción de otro recinto. El Cabildo y luego Cisneros les concedieron dicha suma; pero, en los primeros días de 1810, los citados empresarios tornan ante el virrey con nueva solicitud en la cual peticionan ahora se les libre de "toda contribución a los fondos públicos hasta resacirse de los costos que tuvieron en el teatro viejo". Esta nueva solicitud les fue denegada, aunque posteriormente, en la sesión del 23 de marzo, el Cabildo concedía ciertas ventajas, como la de limitar a un total de mil pesos el impuesto por el primer año de funcionamiento del establecimiento a construirse. La entrega del préstamo sufrió una demora por no ser satisfactorias las garantías ofrecidas por los asentistas y, sin concretarse el menor aspecto material de la nueva sala, llegó la conmoción de la "semana de Mayo" y el cambio de autoridades.

Pese a lo bien urdido del episodio novelesco de Vicente F. López, los documentos prueban que no hubo teatro ni repre-

Literatura dramática argentina

sentaciones en la semana de Mayo de 1810. ¿Las hubo después del veinticinco? Mariano G. Bosch afirma categóricamente que dos días después de la proclamación de la Primera Junta, se realizaron festejos en el *Coliseo*. "El teatro —dice— fue el primer sancionador de los hechos trascendentales ocurridos el 25, pues el domingo 27 dióse especialmente una gran función de carácter patriótico, asistiendo a ella los miembros de la Junta de Gobierno que fue vivada y aclamada entusiastamente por los concurrentes, la mayor parte de los cuales lucía aún los distintivos azul y blanco que les repartiera French, el viernes, en los alrededores de la recoba".

La fuente de información utilizada por Bosch parece ser un artículo evocativo aparecido en *El Nacional* del 14 de abril de 1856, cuyo texto, motivado por los proyectos de edificación del viejo Colón, alude a los teatros anteriores habidos en Buenos Aires y, con referencia al *Coliseo* hace esta mención: "...local único de las pocas tradiciones artísticas. Los muros del viejo teatro recibieron al Gobierno glorioso que juró la Independencia en las plazas públicas de esta capital". Lo demás hasta el presente no aparece documentado en ninguna parte; en cambio sí consta que los acontecimientos de Mayo sorprendieron a la ciudad sin teatro estable. Consta, también, que la Primera Junta, ante una nueva petición de Segismundo y Zelaya, quienes abandonaron el propósito de construir otro teatro y volvieron a intentar la restauración del anterior, autorizó, previa refección y consiguiente inspección, la reapertura del Coliseo.

El 11 de noviembre de 1810 recomenzaron las actividades en la remozada casa de comedias con un concierto del tenor italiano Pedro Angelelli, poco favorecido por el público. En cambio la preferencia popular se volcó en algunos circunstanciales espectáculos de volatines. En mi libro *El circo criollo* he evocado la función circense de tipo patriótico, llevada a cabo el 15 de noviembre de 1810, "a beneficio de la expedición auxiliadora a la Provincia del Norte" y he puntualizado su éxito financiero.

Más tarde, en el teatro se festejarán los acontecimientos de la Patria y el escenario servirá a los fines de gobierno. Literaria y estéticamente, será el espíritu patriótico el que desacompase los espectáculos dramáticos. Porque, indudablemente, se produce una arritmia entre las formas barrocas calderonianas hasta entonces prevalecientes y la ideología, de cuño liberal y enciclopedista, fermentario de la libertad, a la cual se adscribirán los repertorios en busca de una expresión dramática propia. En un periódico de 1815, por ejemplo, pueden leerse estos reclamos: "Ya basta de dramones y *comediotraxicones* con gusto a España; queremos obras como *Roma libre, La muerte de César* o algo así, en las que ya desde el título se empiece a respirar frescura de libertad".

Ante la carencia de un repertorio propio, Enciclopedia y Seudoclasicismo dieron la fórmula sustitutiva, que a través de autores extranjeros expresaron las latencias sentimentales e ideológicas de los criollos para con la patria nueva. Sólo muy esporádicamente aparecerán anémicas expresiones locales, como, por ejemplo, *El veinticinco de Mayo*, de Morante, o *La libertad civil*, atribuida a Esteban de Luca.

Como ulteriormente sobrevienen las luchas entre patriotas y realistas, las contiendas ofrecerán tanto el marco heroico de la guerra cuanto el no menos duro de las rencillas y desencuentros cotidianos en la vida de relación de la aldea grande.

El teatro, en la década 1811-1820, recoge las ansias de libertad y proscribe del repertorio todas aquellas piezas en las cuales las palabras rey, monarca, español, podían recordar antigua dependencia; recoge los ecos de las glorias patrias en los frentes de batalla a través de piecillas como *La acción de Maipú, La defensa y triunfo de Tucumán, La batalla de Pasco*, etc.; y no escapan tampoco a su resonancia las mínimas cuestiones de la política ciudadana, reflejo del desacuerdo grande, que encuentran expresión en obras como *La libertad civil*, ya citada, o *El hipócrita político*.

Literatura dramática argentina

Los autores en otros tiempos resistidos, como Voltaire, copan la primera línea en las carteleras, y los nombres de Koztbue, Alfieri, Metastasio y otros de avanzado pensamiento libertario se aposentan en las tablas del *Coliseo*. La filiación del repertorio culto responde ahora a las orientaciones racionalistas del enciclopedismo y del seudoclasicismo dieciochesco. Un periódico de la época, *El Censor*, aprovecha este cambio de orientación y sostiene que "el teatro debe ser un órgano de la política".

El espíritu popular convulsionado acepta naturalmente las nuevas direcciones dramáticas y las apoya; sin embargo, falta el talento que acrisole en una obra representativa todo ese proceso trascendental. Las piezas nacionales son esfuerzos menores y apenas si se pueden señalar un melodrama de Luis Ambrosio Morante, actor y traductor, *El 25 de Mayo*, representado en 1812; un "apropósito dramático": *La libertad civil*, atribuido a Esteban de Luca; y un "unipersonal" anónimo, *El triunfo*, concebido como monólogo dramático.

Con respecto a *El 25 de Mayo* he puntualizado en *Milicia literaria de Mayo* (capítulo X), cómo se da la singular circunstancia de que se posee información precisa sobre el estreno, fortuna, intérpretes y pormenores, pero hasta el presente no ha sido localizado el manuscrito con el texto. En cambio, *La libertad civil* y *El triunfo* se han conservado en la feliz compilación llevada a cabo, en 1824, por Ramón Díaz con el título de *La lira argentina*.

La libertad civil, presentada como pieza nueva en un acto, está fechada en 1816. Son sus personajes Adolfo, americano; Un Español, Matilde y Acompañamiento de indios. La acción trascurre en un gabinete particular donde Matilde se desespera por la partida de Adolfo a la guerra patria y quiere acompañarlo. Voces y tumultos exteriores dicen de luchas y del triunfo de las huestes patrias. Otra escena trascurre en el templo de la Libertad. Adolfo y Matilde se estrechan emocionados. Los indios, antes esclavos, salen del templo y Adolfo los incita a ver en el español vencido un hermano y a abrazarse con él. El hecho de que durante estas escenas el coro entone la canción patriótica de Esteban de Luca:

> La América toda se
> conmueve al fin,
> y a sus caros hijos
> convoca a la lid...

ha inclinado a atribuir el acto a dicho poeta. En la concepción de la misma no hay sentido teatral, sino proyección alegórica Pero es interesante señalar cómo, aun en este bosquejo, se reitera el eco indianista en estas expresiones incipientes. *La libertad civil* debió ser escrita con motivo de la jura de la Independencia; en ella el asunto de la libertad cívica da lugar a interesantes sugestiones, pues propone que una vez libre la patria de opresores y conspiradores, una vez firme su gobierno propio, no se considere al español como enemigo, sino como hermano. La nobleza del tema hace simpática esta endeble composición dramática e ilumina aspectos interesantes de la idiosincrasia criolla.

En cuanto a *El triunfo,* presumiblemente de 1818, es un monólogo anónimo laudatorio de los triunfos del general San Martín. La actuación inicial señala que el escenario se mostrará como "salón adornado con la mayor magnificencia: colocado el busto del general San Martín: la música habrá tocado un rasgo agradable: al concluirse saldrá el actor vestido de particular, y quedará sobre la izquierda mirando el retrato; y después dirá, convirtiéndose hacia el público". El monólogo, concebido en endecasílabos, con la retórica habitual de la poesía patriótica de circunstancia, recuerda las batallas de Chacabuco y Maipú; incurre en la inevitable reminiscencia de los incas —como Olmedo en *El triunfo de Junín*—; y reclama a las damas los dones de flores para el héroe.

En 1813, en el teatro se cantó en público el Himno Nacional. Y *El triunfo* lo lleva como música de fondo e incluye su estribillo en el texto.

Los años 1814 y 1815 son escasos en novedades, pero en los repertorios del *Coliseo* se puede seguir la continuidad de la tendencia enciclopedista. Hasta 1817 no se anota otro acontecimiento digno de mención que el eco de la suerte de la causa patriota. Las armas criollas sufren alternativas diversas; la situación general del país es sumamente precaria y el teatro, huelga decirlo, no posee atractivos suficientes.

El triunfo de San Martín en Chacabuco, decisivo para la libertad, también da impulso al teatro, pues a tan magna victoria debían corresponder, para celebrarla, espectáculos adecuados. Los poetas volcaron en estrofas su elocuencia: los autores teatrales, apenas si concretaron el "unipersonal" ya citado. Pero el teatro encontró ocasión propicia de adherirse al júbilo cuando el doctor Bernardo Vélez Gutiérrez traduce *La jornada de Maratón*, tragedia de Pièrre Rémy Guéroult, que obtiene una entusiasta interpretación y hace renacer el interés por el arte dramático.

Los hombres prominentes de la ciudad deciden formar una *Sociedad del Buen Gusto del Teatro* con el objeto de estimular su desarrollo. Entre los miembros destacados figuran, según la nómina aparecida en *El Censor* Nº 98, del 31 de julio de 1817; Juan Florencio Terrada, Ignacio Álvarez, Juan José Paso, Dr. Antonio Sáenz, Dr. Vicente López, don Ambrosio Lezica, Francisco Santa Coloma, Miguel Riglos, Camilo Henríquez, Juan Manuel y Esteban de Luca, Juan Ramón Roxas, Bernardo Vélez, Ignacio Núñez, Santiago Wilde, José Olaguer Feliu, Dr. Julián Álvarez, Valentín Gómez, etcétera.

La *Sociedad*, convocada por el Director Pueyrredón, elige presidente a Juan Ramón Roxas quien redacta su Estatuto donde concreta el pensamiento de los intelectuales del momento y habla de los absurdos góticos de los Calderones y Montalbanes. La fundación de la *Sociedad* se celebra con una función, durante la cual Luis Ambrosio Morante dirige una alocución, en verso, "al heroico y magnánimo pueblo bonaerense".

La *Sociedad del Buen Gusto*, paralelamente con el propósito de depurar el repertorio dramático, propiciaba la formación de un teatro nacional. Fruto de esta tentativa es el drama *Cornelia Bororquia*, obra hoy perdida y que escrita por "Un americano", atacaba —según referencias de la época, a la Inquisición por lo que despertó gran indignación en el clero y en los fieles. A través de las páginas de *El Censor* (números 103, del 4/IX/1817; 104, del 11/IX/1817; y posteriores) es posible reconstruir las alternativas de un proceso que constituyó uno de los primeros motivos concretos de enfrentamiento entre eclesiásticos y liberales, los cuales, simultáneamente con los conflictos entre hispanistas y antihispanistas, se renovarían frecuentemente, a lo largo del siglo XIX, ante dos formas de interpretación y de relación del espíritu de Mayo.

También, consecuencia saludable de esa acción y reacción, son dos obras de Luis Ambrosio Morante: *El hijo del Sud* (1816) y *La revolución de Tupac-Amaruc* (1821); dos comedias de Camilo Henríquez: *Camila o La patriota de Sud América* y *La inocencia en el asilo de las virtudes*; la traducción de *Felipe II*, de Alfieri, por Esteban de Luca; y las contribuciones diversas de don Santiago Wilde.

El hijo del Sud, clasificado como "acto alegórico con música", es una especie extraña de teatro alegórico en que intervienen como personajes: La Inmortalidad, la Virtud, La Patria, La Verdadera Libertad, La Falsa Libertad, etc. "Dicha obra —aclara Jorge Max Rohde en la noticia que precede a la reimpresión de la pieza, efectuada por el Instituto de Literatura Argentina, de la Facultad de Filosofía y Letras de Buenos Aires—, expresión de la escuela seudoclásica llegada a sus últimas aberraciones formales, encierra entre un fárrago de versos, la apología de la independencia americana,

Literatura dramática argentina

y acaso también insinúa el peligro de la guerra civil en los pueblos que consiguieron su libertad". Los versos de *El hijo del Sud*, carentes de hechizo poético, revelan una energía patriótica que prueba al autor plenamente identificado con la causa de la independencia americana.

La revolución de Tupac-Amaruc —probablemente traducción y adaptación de una pieza francesa— pinta un episodio de la sublevación de aquel Inca contra la dominación española y su carácter queda manifiesto en los siguientes versos que, sobre la caída del telón, declama el Inca Tupac:

> ¡Compañeros!
> Hagamos ver a cuantos nos degradan
> lo que pueden los sudamericanos
> cuando la libertad sus brazos arma...
> Marchemos al combate, a las victorias,
> a derrocar la prepotencia hispana...
> ¡Oh, quiera el que dirige los destinos
> dar pleno fin a la obra comenzada!

La *Camila*, de Henríquez, cinco actos en prosa, carece —según Ernesto Morales— de valor artístico. Su intriga es pueril: se desarrolla a orillas del río Marañón y relata la venganza de unos españoles sobre un grupo de patriotas quiteños. Cada parlamento tiene intención y sentido político evidentes.

En torno de *Camila* y de la obra de Henríquez: *La inocencia en el asilo de las virtudes*, se suscitaron varios entredichos: primero, porque la comisión revisora de la *Sociedad del Buen Gusto* rechazó ambas piezas y se formaron dos bandos antagónicos que se enredaron en agria polémica; luego, por el ataque que Henríquez llevó contra la *Sociedad del Buen Gusto*, que influyó en su languidecimiento y posterior disolución.

En el período comprendido entre 1816 y 1820 se encuentran varias obras menores que revelan el mismo ardor militante, como por ejemplo, el sainete *La acción de Maipú* y la comedia *El hipócrita político*, aunque ésta no se sabe si fue representada.

El detalle de la acción de Maipú, sainete provincial, según la denominación que encabeza el libreto original, es una interesante muestra de teatro vernáculo. Su asunto se refiere a las luchas precedentes a la libertad de Chile por obra del general San Martín y constituye una relación, hecha por gauchos y paisanos, en lenguaje cargado de metáforas pintorescas —aunque a veces tan crudo y realista que el manuscrito original revela superposición de expresiones suavizantes para diferentes representaciones—, señala claras alusiones a gobernantes y a la política.

El hipócrita político (1819), según la noticia con que el Instituto de Literatura Argentina encabeza la publicación del anónimo manuscrito, "es la primera obra que en la literatura dramática argentina descubre el ambiente familiar porteño. En los diálogos de sus héroes percibimos, no el fragor de las habituales trompas guerreras, sino el eco recóndito de los sentimientos y pasiones de una sociedad que empieza a interrogarse a sí misma".

El argumento de *El hipócrita político* gira en torno de las aventuras de Don Melitón, español que con malas artes trata de desplazar en el amor de Carlota y en su situación política, a un joven criollo, el patriota Teodoro. El tal don Melitón es el perfecto ejemplar del moderno quintacolumnista: espía, intrigante, frío, amoral, es el cínico que, cueste lo que costare, va derecho a su objetivo. Y en la intriga doméstica de los amores de Teodoro y Carlota, que trata de obstaculizar en provecho propio, o en la intriga política, al sonsacar planes patriotas para revelarlos al enemigo, su acción es continua, persistente, desprovista de sentimientos; en suma, un perfecto espía del tipo al cual nos han acostumbrado la literatura de guerra y el cinema.

Es interesante destacar que, en cierta medida, a través de

Literatura dramática argentina

El detalle de la acción de Maipú la presencia del gaucho —ya instalada en la escena rioplatense desde la Colonia con *El amor de la estanciera*— sobrevive en el teatro para más tarde desembocar en los dramas del picadero circense; mientras que en *El hipócrita político*, por su parte, se instalan ciertas motivaciones, como las de carácter sociopolítico, o las relacionadas con la consideración social de la mujer, que se darán como constantes en la dramática argentina del siglo pasado, según se las verá reaparecer, luego, en obras como *A río revuelto ganancia de pescadores*, de Juan Cruz Varela; el drama de José Mármol: *El poeta*; o la comedia *La conciliación*, de Rafael Barreda.

Junto a la serie de piezas del período 1816-1820, antes mencionadas, artísticamente insignificantes, pero de hondo contenido patriótico, cabe mencionar cuatro comedias concebidas dentro de dicho lapso, las cuales no tienen intención política, sino que, simplemente, buscan la distracción del espectador. Se trata de las varias piezas, traducidas, adaptadas u originales, de Santiago Wilde; entre ellas: *Las dos tocayas* y *La Quinquillería*, ambas de corte moratiniano, de obligado repertorio en el teatro porteño durante años. De una comedia en cinco actos: *La ánima en pena*, firmada por Laureano Mortisombis, probablemente anagrama de Luis Ambrosio Morante, cuyo manuscrito lleva los sellos de la censura, con las firmas de E. de Luca y Doblas y la fecha: diciembre de 1819. Y, por último, de la petipieza *El viejo tío Parras*, conservada en un manuscrito anónimo.

Don Santiago Wilde, llegado al país hacia 1811 y ciudadanizado en 1817, padre de Juan Antonio Wilde, el autor de *Buenos Aires desde setenta años atrás*, y abuelo de Eduardo Wilde, el médico, político y humorista, fue un especialista en asuntos económicos y manifestó firme adhesión a la causa liberal y progresista de Mayo. Es autor de un *Ensayo sobre la agricultura en la Provincia de Buenos Aires*, fundó *El Argos de Buenos Aires*, invirtió sus dineros en la creación del

Parque Argentino o Vaux-Hall, tradujo piezas teatrales como *La delirante Leonor, La rueda de la fortuna, El judío*, y escribió dos piezas originales: *Las dos tocayas* y *La quinquillería*. De la primera, compuesta en 1818, apenas si quedan noticias aisladas. De la segunda, estrenada el 19 de noviembre de 1818, se conserva el texto y abundantes referencias en las páginas de *El americano*.

La quinquillería, "sátira dramática" en un acto, "en parte original y en parte traducida" se inspira en la comedia didáctica *Toyshop*, de Robert Dodsley, representada en Londres en 1735. En ella, un tendero de quincalla, explica a diversos compradores, por qué vende o deja de vender ciertos artículos. Las respuestas del tendero a las consultas —a ello se limita la pieza— son agudas y encierran intención satírica. Durante una de las representaciones de esta comedieta, un entredicho entre los actores Joaquín Culebras y Luis Ambrosio Morante tuvo trascendencia periodística y dio lugar a un largo cambio de correspondencias, desde las páginas de *El americano*.

Con respecto a *La ánima en pena*, comedia en cinco actos firmada por Laureano Mortisombis, probable anagrama de Morante, bordea también el tema patriótico. Aunque sus acotaciones no precisan el lugar donde trascurre la acción, se colige que la misma ha de desarrollarse en Buenos Aires. En ella, un coronel criollo, a quien se supone muerto en los campos de batalla durante las luchas por la independencia, reaparece en su hogar sin que nadie —ni siquiera la propia esposa— se entere de la vuelta. Manifiesta que fue hecho prisionero por los realistas, quienes después de conducirle al Perú, le embarcaron rumbo a Cádiz; pero aprehendida por corsarios la fragata en que navegaban, el coronel fue liberado y pudo regresar a Buenos Aires. Aquí encuentra que la presunta viuda es asediada por varios galanes y los subterfugios con que unos tratan de desplazar a otros se enredan con las tretas del coronel, que, oculto, vigila. Todo ello da lugar a las complicaciones cómicas, animadoras de la pieza, con evidentes reminiscencias de las aventuras de Odisseus.

Por último, se ha de mencionar *El viejo tío Parras*. Su autor permanece en el anonimato. Sólo se conocen de él un seudónimo: "Un porteño" y una confesión referente a la comedia: "Esta piecita —declara en ella— es mi primera composición en este género; por consecuencia se notarán mil y un defectos. Suplico a la crítica que me perdone. Es una producción de capricho, quiero decir que no la he formado sobre historia o cuento particular; y por lo mismo me es indiferente suponer la escena aquí, en Chile, en Lima o en Montevideo. Si acierto a complacer, diciendo una verdad, no deseo más."

El viejo tío Parras, comedieta insignificante, gira en torno de un codicioso cascarrabias, que se ha apoderado ilícitamente de unas parras del vecino. Como es rico y poderoso, contra él nada puede la justicia, pero le queda el apodo de "El viejo Parras" y cada vez que oye mencionar la palabra *parras* se enfurece. La comicidad del tratamiento estriba siempre en la inocencia con que los personajes ajenos a esta manía intercalan ese vocablo inoportunamente.

Notas del ambiente rural argentino dan color a esta obrilla, probablemente escrita hacia 1818, aunque el manuscrito censurado indica que sufrió modificaciones en setiembre de 1832.

IV. Teatro de la anarquía (1820-1829)

Los años comprendidos entre 1820 y 1829 se reconocen en la historia argentina como los de la "Anarquía", porque durante su transcurso, desaparecido el peligro de un enemigo exterior, cuando la Nación debía organizarse definitivamente, sobrevinieron cuestiones internas, degeneradas en luchas civiles, que fueron postergando la estructuración de la anhelada unidad nacional.

El teatro refleja la situación política y padece honda crisis agravada por la aparición de un temible adversario: la ópera. Algunos artistas extranjeros, reunidos circunstancialmente en Buenos Aires, brindan la oportunidad de constituir un elenco lírico para la interpretación de obras, como *El barbero de Sevilla*, *El engaño feliz*, *Cenerentola* y otras, que el público porteño sólo había oído fragmentariamente. Desde aquel 28 de marzo de 1823, cuando Buenos Aires tuvo oportunidad de gustar por primera vez una ópera casi completa, data la afición de los porteños por el teatro lírico italiano. A partir de ese momento no faltó en los espectáculos el "bel canto". En el viejo *Coliseo Provisional* la ópera sustituyó al drama y hasta el 27 de marzo de 1831, en el trascurso de ocho años, se conoce casi todo el repertorio lírico italiano en auge. Desde 1831 hasta el 27 de octubre de 1848, prácticamente durante toda la época rosista, no se interpretarán óperas. Pero, a partir de la última fecha indicada, se reinicia una atracción que durará hasta el presente. En cuanto al arte dramático propiamente dicho, únicamente hacia 1826, a raíz de los triunfos navales sobre los brasileños, pareció que las celebraciones y festejos darían oportunidad de su renacimiento; pero, lamentablemente, no ocurrió así.

De este período, sin embargo, se han de mencionar varias obras menores, como *La batalla de Pasco*, *La batalla de Tucumán*, *Las bodas de Chivico y Pancha*; las dos primeras de contenido patriótico; la última, colorido antecedente de teatro semi-gauchesco. Se han de recordar, también, otras no llegadas a la escena, entre ellas tragedias de alto coturno, como *Molina*, de Manuel Belgrano; *Dido* y *Argia*, de Juan Cruz Varela; *Aristodemo* (ésta sí representada en este lapso), de Cabrera Nevares; y un sainete de inspiración moratiniana: *A río revuelto ganancia de pescadores*, también de Juan Cruz Varela.

La batalla de Pasco por el General San Martín, drama histórico en un acto, anónimo, es una de las pocas piezas del teatro argentino donde aparece evocada la figura del héroe de Chacabuco y Maipú. Quizás trazada hacia 1820, es apenas un esbozo de acción en la cual el Alcalde de Pasco, afecto a la causa realista, comprueba en carne propia la lealtad y honradez, la nobleza y bondad de San Martín. "Dicha obra —expresa Jorge Max Rohde, en la *Noticia* con la cual encabeza la reedición efectuada por el Instituto de Literatura Argentina— posee un hondo interés. Descubre no sólo la conciencia de la época, sino el nuevo espíritu que en nuestra nacionalidad labra la historia, cuya expresión hállase en los sentimientos en pugna en algunos de sus protagonistas y en el soplo épico que crea sus diálogos. Sobre el relato crece la sombra de la gesta, y entre el fragor bélico y el coro popular se escucha la palabra clemente y guiadora del general San Martín. Estas prestancias redimen a la pieza de su forma, por veces pueril e ingenua".

La batalla de Tucumán o *Defensa y triunfo del Tucumán por el general Belgrano* también tiene resonancia patriótica.

Como la anterior, evoca otra figura militar de la historia argentina; fue estrenada en 1821, al cumplirse el primer aniversario de la muerte del prócer. Conjetúrase su autor: Luis Ambrosio Morante; lo conservado de su texto pareciera ser sólo parte de la obra y revela escasa acción teatral, pues se concreta casi exclusivamente a relatos que de la batalla epónima hacen algunos personajes, aunque alienta su espíritu el sentido político de la idea que vitalizó a nuestros arquetipos: la patria de los americanos, en una grande e indestructible América.

Desde el punto de vista del conjunto de la historia de la dramática argentina, en carácter de nexo, tiene mayor significación *Las bodas de Chivico y Pancha*, estrenada en 1823; a pesar de su condición rudimentaria urdida con elementos realistas, con pintoresquismos directos en los pormenores de observación, satisfacía en tal sentido al público grueso, sobre todo durante la época de Rosas, en la cual el sainete sufrió añadidos *sui generis*.

La acción de *Las bodas de Chivico y Pancha* se desarrolla en el interior de un rancho y ofrece ciertas similitudes con *El amor de la estanciera*, no sólo de forma sino hasta de contenido. En ambos sainetes hay boda; en ambos el motivo de la comida nupcial despunta pintoresquismos. La ubicación del rancho en ninguna de las dos piezas está indicada. En el caso de *Las bodas de Chivico y Pancha*, por las acotaciones, se presume que se trata de un tambo y por el ir y venir de los personajes se lo presume próximo a la ciudad. Por su lenguaje, por el ambiente que presenta, por los elementos sociales que introduce, pareciera más un anticipo de la literatura de arrabal que de teatro gauchesco propiamente dicho. Uno de los personajes es llamado "dotor" al modo, entre respetuoso e irónico, de los matones de arrabal. Chivico y Pancha contraen enlace en un lugar donde hay iglesia parroquial y vuelven al tambo con un cortejo cuyos invitados no son todos gauchos.

Tales consideraciones permiten deducir el lugar de la acción. Pero, además, se sabe que durante la época de Rosas la presentación de la pieza se iniciaba con una escena *ad hoc*, en la cual se relataban andanzas de un personaje por la ciudad vecina. Esa escena añadida era una típica "relación" de sucesos y conviene señalar su significado y conexiones. Su estructura respondía al relato que hacía un personaje episódico, Chingolo, sobre lo visto en la ciudad, y recordaba aquella otra *Relación que hace el gaucho Ramón Contreras a Jacinto Chano de todo lo que vio en las Fiestas Mayas en Buenos Aires, en el año 1822* atribuida a Bartolomé Hidalgo. Al mismo tiempo, por la mención que el personaje hacía de su estada en el teatro, durante la representación de la comedia de magia *El diablo predicador,* parece anticipo de *Fausto*, de Estanislao del Campo. En cualquier forma, deja sentada la continuidad de una especie vernácula como es el relato de hechos ciudadanos con óptica gaucha.

Anteriormente, en tiempos de la guerra con el Brasil, también se le añadieron coplas alusivas. Matilde Levy, en la monografía *La Oda del Bagre Sapo* ha documentado que, en 1826, se agregó al sainete dicha parodia del tipo épico-burlesco, construida según los modelos de *La Batracomiomaquia*, de Homero, de *La Mosquea* de Villaviciosa, de *La Gatomaquia* de Lope de Vega y de *La Perromaquia* de Francisco Nieto de Molina. Dicha investigadora, por el método estilístico, demuestra la posibilidad de que el autor oculto tras el seudónimo de "El Bagre Sapo" no fuera otro que Juan Cruz Varela. También en la época rosista el sainete sufrió —en los días del bloqueo— el agregado de pasajes agresivos contra unitarios, franceses e ingleses.

Pese a su insignificancia estética y literaria, *Las bodas de Chivico y Pancha,* marca la continuidad del tema gauchesco-popular en la escena rioplatense; tema nacido con *Los amores de la estanciera* en el siglo XVIII, que se proyectará en "fines de fiesta", como *Un día en Barracas,* aflorará en *Solané* con

Literatura dramática argentina

pretensiones artísticas y desembocará en el mimodrama *Juan Moreira* al morir la centuria, impulsando una nueva etapa de la dramática argentina.

A pesar de los difíciles trances que, por causa de luchas civiles, guerras y la ópera, soportaba el teatro en esos momentos, la presencia de Bernardino Rivadavia en el gobierno, que significó estímulo a las letras, las artes, a la cultura en general, parece beneficiarlo. La *Sociedad literaria* y la *Sociedad Filarmónica* fueron instrumentos que marcaron también preocupaciones por el arte dramático. Un *Reglamento de Policía Exterior del Teatro*, de noviembre de 1824, es indicio del alcance de dichas preocupaciones.

Con relación a actividades teatrales llevadas a cabo fuera de la ciudad de Buenos Aires, cabe consignar aquí una noticia apuntada por José Rafael López Rosas en su ensayo *Tras el paso de Melpómene* referente a dos obras inspiradas por problemas de la política local en la provincia de Santa Fe. Lamentablemente, los pormenores son muy imprecisos en cuanto a consignar títulos de las obras, características de estilo, estado de los manuscritos y circunstancias de su hallazgo, razón por la cual me limito a transcribir textualmente la información proporcionada por dicho historiador. "De 1821, expresa, data una tragedia de autor desconocido, dividida en tres jornadas y numerosos cuadros. Su tema es relativo a la invasión que Ramírez, caudillo entrerriano, lleva contra Santa Fe desobedeciendo lo pactado con Estanislao López. En el primer acto habla el Supremo con su secuaz Monterroso, esbozando su sueño de conquistar Corrientes y Misiones. En el segundo Ramírez trama invadir Buenos Aires con la ayuda de Santa Fe para después reunir un poderoso ejército y vencer al tirano Francia en el Paraguay. En otros cuadros surge el triunfo de López sobre las tropas entrerrianas:

>   Ya terminó el orgullo
>   del conquistador

> ya corrieron las huestes
> del tirano opresor.
> Vivan los santafesinos
> y su gobernador
> López, que los destinos
> lo han hecho Vencedor.

Termina esta obra con la relación de la fuga del Supremo hacia Córdoba y su heroica muerte en defensa de Delfina, en Fraile Muerto. Todo esto se desarrolla en la jornada tercera, que culmina con un soneto de epitafio para la tumba del vencido. Esta obra es asignada al Secretario Ministro de Estanislao López, don Juan Francisco Seguí... Juntamente con este drama se encuentra otro manuscrito, que quizás haya servido de prólogo o boceto para alguna representación de la época. Está escrito en décimas y se refiere a la invasión de los porteños al frente de Viamonte en 1815 y a la realizada por Díaz Vélez..."

Volviendo a Buenos Aires, en agosto de 1821 se representó *Aristodemo,* tragedia de Miguel Cabrera de Nevares, en circunstancias en que éste se hallaba desterrado. A través de las crónicas periodísticas —favorable, la de *El Argos* (N° 22); negativa, la de *El patriota* (N° 5)— se puede reconstruir su argumento: Aristodemo, dado por muerto en la batalla, reaparece. Cuenta que recibió fuerte golpe y que un animal salvaje, acercándose a él lo ayudó a salir de aquel lugar de horror. Polimnesto, favorito del fanático Mesenia proclama el imperio de la ley en términos de filosofía enciclopedista. En el segundo acto Cleofante, el Sumo Sacerdote, declara en el Templo a sus acólitos su intención de reunir el cetro a la tiara. Polimnesto hace ofrenda de espigas al dios; el Sacerdote Cleofante no las acepta gustoso, diciendo que no corresponden en valor a la dignidad de un príncipe. Discuten ambos, con filosofías antiteatrales. Polimnesto se opone a las ideas religiosas de toda Grecia, negando la infalibilidad de los oráculos. En

Literatura dramática argentina

el tercer acto, Polimnesto, preso, trata de fugar ayudado por su amigo Artemón, con Demófila disfrazada de varón. Teme a Cleofante; éste sin embargo, parece no reconocerla. En la oscuridad del Panteón, Aristodemo hiere a Demófila, sin saber que ataca a su propia hija. La pieza concluye con la muerte de Demófila, que aparece exánime a la vista de Polimnesto y demás personajes. "Aristodemo enmudece de dolor y manda después poner en libertad a Polimnesto, declarándolo rey de Mesenia, y éste amenaza al sacerdote con un castigo terrible."

Otra pieza, de la cual sólo se conservan las referencias aparecidas en *El Argos* (Nº 30) es *Carlos y Carolina*, comedia inspirada, como varias otras, en *El sí de las niñas* de Moratín. Interesa su mención, porque a pesar de no conservarse su texto, las referencias aluden al tema de la situación social de la mujer, constante, como se ha dicho, en la dramática argentina a lo largo del siglo XIX. Del autor sólo se sabe que era un joven de 18 años, que firmaba con la inicial "V".

Dedicada a Bernardino Rivadavia, en 1823, Manuel Belgrano (sobrino del prócer) publica una tragedia en cinco actos, titulada *Molina*, de asunto americano, que retoma la línea indianista y la temática iniciada en *Siripo* de Lavardén, pues trata un tema incaico en el cual, con curioso espíritu enciclopedista, vírgenes del sol y príncipes indígenas reniegan del fanatismo religioso.

Al mes siguiente de conocerse *Molina*, un poeta culto lee, en casa de Rivadavia, una tragedia que acaba de componer y editar. El poeta se llama Juan Cruz Varela; la obra, *Dido*. Realizada según el molde seudoclásico, pone en endecasílabos el Canto IV de *La Eneida*. *El Argos* recibió con grandes elogios la novedad. La lectura hubo de repetirse y, según dicho periódico, "El señor ministro de gobierno, reconociendo el mérito de la pieza, hizo que se repitiese su lectura convidando al efecto a un número más crecido de personas y, entre ellas, una porción considerable de damas. Nada debe añadirse a esto, sino que el autor debe haberse lisonjeado altamente al recoger en esta ocasión el copioso tributo de lágrimas que le rindió el bello sexo argentino como el signo más elocuente de su aprobación".

Poco después, el mismo poeta, inspirado en *Antígona*, de Alfieri, compone una nueva tragedia que titula *Argia*. Si en Juan Cruz Varela había un poeta, pagó en sus ambiciones trágicas, el precio del demasiado apego a los moldes seudoclásicos. En cambio, la recogida vena del gracejo, perceptible en sus epigramas, en las sangrientas sátiras de *El granizo*, también tuvo canalización teatral en el sainete *A río revuelto ganancia de pescadores* donde, prieta la intención de advertir nuevas estructuras sociales, reitera aspectos de *El sí de las niñas*, tantas veces reaparecido en las plumas de incipientes dramaturgos argentinos del siglo pasado, como para dejar entrever que algún estremecimiento había experimentado la sociedad rioplatense en relación con las reivindicaciones femeninas.

La crisis de autoridad paternalista, del patriarcado doméstico discernidor de la felicidad de las hijas, escogedor de maridos para doncellas amordazadas en lo concerniente a sus gustos y preferencias sentimentales, promovidas por el feminismo enciclopedista arrancado de la prédica inglesa de Mary Woollstonekraft, reaparece —luego de *El hipócrita político*, de *Carlos y Carolina* (¿acaso, también, de Juan Cruz Varela?) y de la posterior reacción del P. Castañeda en la tercera comedia de *Doña María Retazos*— en el sainete de Varela, donde la jovencita Rosa es recriminada por su padre por contestar sentada y donde la rebeldía juvenil llega al punto de rechazar el pretendiente, impuesto por el celo paterno, con estos desenvueltos conceptos:

> Las personas que son libres
> y con más razón las damas,
> deben casarse tan solo
> con el joven a quien aman.

merecedores de esta réplica contundente:

> Y las hijas que a su padres
> ninguna obediencia guardan
> a palos y garrotazos,
> se les enseña a guardarla.

Suelen incluirse en las historias del teatro argentino, en este período, las *Tres comedias de Doña María Retazos*, del Padre Castañeda; y una sedicente comedia anónima, *Destino de Buenos Aires*. Pero son apenas esbozos y tienen más de panfletos que de teatro.

V. El teatro de la época rosista (1829-1852)

La época de Rosas constituye un largo interregno en la historia argentina: la pasión política divide a los ciudadanos, crea odios y resentimientos, promueve desgracias y vejaciones, plantea conflictos y situaciones cuyas consecuencias aún se reflejan en los días actuales.

Respecto de la dramática nacional, el teatro de Buenos Aires nada aporta a su florecimiento; pero, durante los 25 años que abarca, pasa por alternativas diversas, aunque en progresiva decadencia; si bien cabe anotar que en ningún momento cesó la actividad teatral.

La época rosista lleva como nota típica una conmoción social que en el teatro repercute en un aumento del número de individuos con posibilidad de asistir a los espectáculos; no a los de alto nivel cultural, por cierto. Sin embargo, esto determina una estabilidad del "negocio" teatral, por la no interrupción de las actividades escénicas y la inauguración de nuevas salas.

Pero, el reflejo muestra, también, su faz negativa, porque si bien crece el número de espectadores, no aumenta proporcionalmente la cultura teatral, pues los nuevos núcleos de concurrentes no siempre están capacitados para soportar las creaciones artísticas ambiciosas; sino, por el contrario, se verifica un descenso en la categoría de los espectáculos, debido a los elementos plebeyizantes introducidos. En *El teatro en Buenos Aires durante la época de Rosas* he documentado este fenómeno y en *Sociología del teatro argentino* he señalado sus implicaciones sociopolíticas. Aquí corresponde consignar que la cuestión de los públicos es una especie de *leitmotiv* perceptible en toda la época, pues en los porteños la afición teatral les viene desde lejos; se hace en ella populachera y el teatro se convierte, de necesidad espiritual, en hábito. Por esto las actividades escénicas se convierten en "negocio" para los organizadores y nunca como entonces habrá tantos conflictos entre empresas, actores, empleados, etc; ni se resignarán los espectadores a pasividad mayor, característica que perdurará como distintivo de los públicos porteños, en general. La política y la proliferación de los espectáculos circenses son otros factores gravitantes en la decadencia teatral registrada entre 1829 y 1852.

Coincide la época de Rosas con la aparición de la corriente estética e ideológica del romanticismo, introducida en el Plata por Esteban Echeverría casi simultáneamente con la afirmación europea. Echeverría inicia a la juventud porteña en la nueva sensibilidad; pronto un núcleo prominente se manifiesta fervoroso partidario y se reúne periódicamente en tertulias y salones literarios. Cuando, hacia 1838, el clima político llega a un punto crítico, esa juventud romántica —militante, por naturaleza, en la oposición— se ve obligada a emprender el camino del exilio. En las penurias del destierro —mezcla romántica de miseria, pasión y sentido de libertad— gesta su producción literaria. Esto explica por qué la creación romántica argentina —primera con auténtica visión de la tierra, del paisaje y del telurismo americano— se produce fuera del país, en el Uruguay, en Chile, en Bolivia, principales refugios de la emigración argentina.

Mientras tanto, el teatro de Buenos Aires acoge a los románticos franceses, y Ducange, autor de *Quince años o Los efectos de la perversión*, sube el primero a la escena. Le sigue *Antonino*, de Alejandro Dumas, y tras ellos se representan, en serie romántica, algunas obras de Scribe, vertidas por Ventura de la Vega, como *La conspiración descubierta* y *El viejo de veinticinco años*. Incidentalmente, porque escapa al orden de la dramática nacional, cabe recordar que Ventura de la Vega, brillante figura en el Madrid intelectual, era argentino, alejado del país en 1818, cuando apenas contaba nueve años. A él se debe la familiarización del público madrileño con los dramaturgos románticos franceses y la preparación del clima favorable para el triunfo teatral del Duque de Rivas, de Larra y García Gutiérrez. También se podría afirmar que, a la distancia y a través de sus traducciones, Ventura de la Vega incidió en el interés del público porteño por el teatro romántico.

El 28 de agosto de 1838 se interpreta, por primera vez, un drama de Víctor Hugo: *Angelo, tirano de Padua*, traducido por Vicente F. López. Este año de 1838 señala el mayor número de novedades románticas, pues en su trascurso se conocen *La torre de Nesle* y *Catalina Hóward*, de Alejandro Dumas; *Marino Falliero* y *Los hijos de Eduardo*, de Delavigne. También en 1838 ocurre la primera exhibición de un drama español netamente romántico: *El trovador*, de García Gutiérrez, y ese mismo año se conoce *Macías*, de Larra.

El 14 de setiembre de 1841, por primera vez, aparece el nombre de José Zorrilla en las carteleras porteñas con motivo de la representación de *El zapatero y el rey*; y el 28 de diciembre de dicho año se da: *Cada cual con su razón*, del mismo autor.

La aparición de estas piezas de románticos españoles no es un hecho aislado en la evolución estética y política de la dramática y de la cultura rioplatense; sino, por el contrario, obedece a una inclinación progresiva que podría señalarse como atemperación de la anterior hispanofobia. En efecto, hacia 1830, España no es para las Provincias del Río de la Plata, la Metrópoli. La independencia ha afirmado a los hombres de la nueva nación ya no como vasallos, sino como dueños de los destinos de su patria. Desaparecida España como enemigo político, la juventud romántica —por odio al tirano Rosas, proclive a lo español— sintió reavivar la hispanofobia y soñó en determinado momento con anular hasta la menor señal de dependencia espiritual aún subsistente: idioma, creencias, leyes, costumbres, etc. De 1830 a 1838 se observa en artículos periodísticos, conferencias y discursos de jóvenes intelectuales, esa idea fija. Al respecto, son piezas interesantes algunos "comunicados" del *Diario de la tarde*, *La moda*, los discursos de Marcos Sastre, Juan B. Alberdi, Echeverría, Gutiérrez y otros en el Salón Literario de 1837.

Las historias literarias, al advertir las influencias gravitantes en el proceso romántico rioplatense, señalan que a la inclinación hacia lo francés y lo inglés, palpable en Echeverría y sus inmediatos, sigue una receptividad para lo español. La advertencia alude, por lo general, al ciclo de los proscriptos y ejemplifica la bifurcación en la mención de dos figuras señeras: Echeverría, en la línea francesa; Mármol, para la española.

La observación, *prima facie*, resulta exacta; pero inevitablemente ha de aclararse que la tónica romántica, por lo menos la resonante en torno del Salón Literario, fue de repudio a lo hispánico en cuanto éste fue síntoma de colonialismo mental, primero, y luego, en cuanto pareció coincidir con las preferencias del tirano. El viraje ulterior, conciliatorio, envolverá a los hispanófobos de 1837, aunque algunos —como Juan María Gutiérrez— permanecerán firmes en la actitud primera hasta el fin de sus días.

El fenómeno que registra el teatro porteño se acompasa también con la manifiesta proclividad de Juan Manuel de Rosas, desde su segundo gobierno, hacia la dictadura. Destaco esta circunstancia porque, en cierta medida, puede explicar la desviación españolizante en los escenarios porteños, más difícil de justificar, en cambio, en los proscriptos. Subrayo, desde luego, el lugar común que, al mezclar lo estético y lo político, motejó a los exiliados de afrancesados. Pero es oportuno recordar que el antihispanismo del Salón Literario fue, inicialmente, actitud patriótica, producto de ascendencia liberal, enciclopedista. Desde 1838, Rosas procuró borrar recelos contra España, hasta llegar a imponer variantes sustanciales en los festejos patrios. ¿No viene, de inmediato, a la memoria aquel indignado apóstrofe de Juan Cruz Varela, titulado *El 25 de Mayo de 1838*?

> Por eso persigue con hórrida saña
> a los vencedores de su amada España
> y en el grande día la venga cruel.

En el concepto de algunos historiadores, desde 1840 Rosas se conduce, como jefe de estado, como un señor feudal visigodo. De lo cual se colige que el paso de los repertorios franceses a los hispanos, en las carteleras porteñas, estaría en consonancia con el clima general que soporta el país. Pero, ¿cómo se explica el mismo fenómeno entre los proscriptos? La incógnita sigue aún en pie.

Con Zorrilla ingresa en el repertorio teatral porteño otra generación de románticos españoles: Hartzenbusch, Rodríguez y Rubí, Gil y Zárate, García Ontiveros, Navarrete, Larrañaga y otros.

La época de Rosas, prácticamente, nada aporta a la dramática nacional. Dentro del país hay actividad teatral, público para sostener los espectáculos y artistas capaces; faltan, en cambio, autores y críticos. Fuera del país, entre los emigrados políticos, hay críticos de fuste, como Sarmiento; autores dramáticos en potencia, como Mármol, Alberdi y Echagüe, malogrados por falta de oportunidad para producir con cierta continuidad y estrenar sus piezas, pues carecen de público afín a quien ofrecerlas, de actores que las interpreten, de teatros donde se representen, de crítica orientadora que las juzgue.

Entre los nombres de los autores que estrenaron en Buenos Aires en este período, cabe mencionar los de Luis Méndez,

Rafael Corvalán, Nicasio Biedma, Jaime Roldós, Alberto Larroque y Carlos Zee. Entre los proscriptos, los de José Mármol, Juan B. Alberdi, Pedro Echagüe y Bartolomé Mitre.

Luis Méndez estrena, el 10 de junio de 1838, *Carlos* o *El infortunio*. Poeta y periodista, fue ésta su única incursión en las tablas. El drama, tratado a la manera romántica, relata los amores de Carlos y Elena, obstaculizados por el padre de ésta y concluye con el suicidio de los enamorados.

Rafael Corvalán estrena el 31 de octubre de 1938 el drama trágico: *El renegado* o *El triunfo de la fe*. Y sólo seis años después se registran nuevos estrenos de autores locales: *Hernando* o *El doncel de Bañares*, del teniente coronel Nicasio Biedma, quien también escribe: *Si algo valgo, el público lo dirá* (1845) y *Todo por la patria* (1845). Jaime Roldós, residente español, estrena en diciembre de 1844: *El ermitaño de Burriach*, y, al año siguiente, *El pordiosero del Valle de Santa María*. El francés Alberto Larroque, llegado al país como educador, hace representar, también en 1845, *Juan de Borgoña* o *Un traidor a la patria* y el sainete *El artículo quince*. Cierra la serie Carlos Zee, autor del sainete *Miñoné Fan Fan* y de varias traducciones.

Casi todas estas piezas antes mencionadas hoy se desconocen y las referencias contemporáneas que se poseen dicen que con su desaparición nada perdió la dramática nacional, pues todas ellas, concebidas en Buenos Aires, interpretadas por artistas nativos, ante espectadores porteños, tenían por argumentos asuntos históricos europeos sin el menor arraigo en la tradición local; por lenguaje, híbrida conjunción de formas y voces semicultas, frías, ampulosas, desagradables al oído criollo; por técnica, una aplicación desafortunada de los cánones románticos.

En el ciclo de los proscriptos la producción es más variada. José Mármol, el poeta de los *Cantos del peregrino*, sobradamente conocido por su novela *Amalia*, realiza en el teatro dos ensayos juveniles, fallidos ambos, y nunca más reincidirá en ello. El primero, un drama de tema y problemática nacional: *El poeta*, de corte romántico, en el cual, con el asunto (muy semejante al del drama de Luis Méndez antes citado y al de una idea dramática apuntada por Esteban Echeverría) de los amores de María y Carlos, contrariados por el padre de aquélla, quien quiere casarla con un viejo rico, el autor tiene oportunidad de desarrollar todos los efectismos dramáticos del romanticismo, con prisiones, calumnias, envenenamientos y agonías tremebundas, al tiempo que le es dable colocar sus invectivas políticas. *El poeta* trasunta una motivación social grata al romanticismo: conflicto entre mentalidad burguesa y juventud soñadora, idealista; e implica subtemas que pueden rastrearse en la escena prerromántica del último cuarto del siglo XVIII europeo, como, por ejemplo, el exceso de autoridad paterna frente al sentimiento de los hijos; los derechos de la mujer a elegir su destino y felicidad.

El cruzado, el otro drama de Mármol, presenta una acción que transcurre en el siglo XII, en países extraños, y también tiene por tema amores románticos con las correspondientes muertes y truculencias.

Juan Bautista Alberdi tampoco se realizó como dramaturgo y su circunstancial paso por el teatro fue, simplemente, excusa para exponer ideas políticas. Así, *La revolución de Mayo* aparece como una "crónica dramática" excesivamente discursiva, que proyecta ideales de libertad. *El gigante Amapolas y sus formidables enemigos*, en cambio, constituye breve sátira política contra Rosas.

Pedro Echagüe es, de todos los proscriptos, quien persevera en el ejercicio dramático; su repertorio suma ocho comedias y un drama histórico: *Rosas*. Las comedias se titulan: *Amor y virtud*, dos actos en verso; *Padre, hermano y tío padre*; *De mal en peor*, un acto; *Primero es la patria*, un acto; *Los niños*, zarzuelita; *Memorias de un coronel*, juguete cómico imitado del francés. Todas las obras de Echagüe han sido representadas ya en San Juan, Chile o Buenos Aires y constituyen, en

Raúl Héctor Castagnino

relación con la radicación provinciana del autor, testimonio de vida teatral argentina más allá del ámbito de la ciudad puerto.

Para cerrar la mención de la literatura dramática y de sus cultores en este período, cabría añadir los nombres de Bartolomé Mitre, de quien se conocen algunos ensayos teatrales juveniles, como *Las cuatro épocas* y *Policarpa Salvatierra*; la traducción de *Ruy Blas*, de Víctor Hugo, y el patrocinio a toda iniciativa tendiente a fomentar la dramática nacional, como su colaboración en las iniciativas de la *Sociedad Protectora del Teatro Nacional*. Y el del doctor Claudio Cuenca, médico militar muerto en la batalla de Caseros, quien escribió varias comedias, lamentablemente desaparecidas en la hoguera que, con sus papeles, dispusieron los familiares; especie de póstumo auto de fe, del cual sólo se salvó *Don Tadeo*, rescatada y publicada por Heraclio Fajardo, en 1861.

VI. Ensayos dramáticos durante la organización nacional (1852-1884)

En 1852, con la caída de Rosas como consecuencia de la derrota en Caseros, se inicia en el país una era de organización civil, estremecida por convulsiones internas desembocadas finalmente en la unidad nacional. Los literatos, los intelectuales, entregados a la labor política, no encuentran el ocio fértil para la lucubración artística; los actores, que en su falta de ética profesional se habían transformado en aduladores obsecuentes del régimen político rosista, abandonan la ciudad porteña, centro de la actividad teatral, temerosos de represalias o repudiados por el nuevo público.

Buenos Aires, el país, se encuentra sin actividad dramática propia y deben buscarla extranjera. Por los escenarios rioplatenses comienza el desfile de compañías europeas: españolas, francesas e italianas. En 1854 se da por primera vez *Don Juan Tenorio*, de José Zorrilla. En 1857 se inaugura el Teatro Colón con la actuación de una compañía lírica en la cual figura el famoso tenor Tamberlic; y hasta el fin del siglo, sucesivamente desfilarán por los escenarios criollos: Adelaida Ristori, Tomás Salvini, Ernesto Rossi, María Tubau, Rita Carbajo, Sarah Berhnardt, Eleonora Duse y otras celebridades mundiales.

Respecto de la producción nacional en este período, apenas si se pueden señalar algunos mediocres ensayos, interpretados por compañías extranjeras; o, a menudo, sepultados en el fondo de vetustos cajones. Pero cabe destacar que vibra en el ambiente el anhelo de concretar una literatura dramática nacional; anhelo manifestado en el apoyo periodístico a esos escasos ensayos; en la fundación de Círculos, Sociedades y Academias para la protección del teatro nacional. La tonalidad estética de la dramática incipiente, en este período, responde a las características de un bajo y trasnochado romanticismo, del que se salva sólo la nota realista de alguna que otra sátira política.

En la ordenación cronológica, corresponde el primer término al drama de Echagüe: *Rosas* (1852), por otra parte, también el primero que toma al tirano por personaje teatral. Ricardo Rojas considera su versificación fácil y entendía que debiera ser considerado como la primera pieza netamente nacional de la literatura dramática rioplatense, opinión asaz controvertible.

En 1855, la compañía española de Torres y Fragosa representa *La huérfana de Junín*, drama de Pedro Lacasa, inspirado en un episodio histórico. Lacasa fue un interesante personaje segundón de la historia y del teatro argentinos. Secretario de Lavalle, cuando éste combatía contra Rosas, se acogió, luego, a la amnistía federal de 1848 y se transformó en empresario del *Teatro Argentino*, el ex *Coliseo Provisional*, convertido en esparcimiento para las huestes mazorqueras.

En 1849 contrajo enlace con Laurentina Guevara, hija de la famosa actriz Trinidad Guevara. Y a poco se convirtió —por lo menos así surge de las apariencias— en hombre incondicional del tirano Rosas.

El *Teatro Argentino* es, entre 1848 y 1852, lugar de cita del populacho federal y su empresario compone *Loas* y *Odas* en honor del "ilustre Restaurador". Además, el 19 de agosto de 1851, estrena un apropósito titulado: *El entierro del loco traidor, salvaje unitario Urquiza*, del cual, con decir que en escena se degüella un muñeco que representa a Urquiza, cuyos restos se arrojan a la salida en un cajón de tunas, conducido en procesión a la Policía y allí se queman con músicas, faroles y cohetes, se tendrá idea acabada de la calidad del apropósito, de la mentalidad y gusto del público asistente y de la adhesión del empresario a la causa del gobierno. Después de Caseros, con ánimo aparentemente contricto, Lacasa escribe una biografía de Lavalle y estrena el drama antes mencionado.

También de 1855 es un sainete, publicado en Mendoza, *El gobierno del teniente Nazar*, que Humberto Crimi, en su *Breve historia del teatro mendocino*, atribuye a Zuluaga. Dicho sainete, de contenido político, ataca al gobernador Laureano Nazar. En Buenos Aires, el mismo año, Lucio V. Mansilla concluye el drama *Atar-Gull* o *Una venganza africana*, construido con el típico exotismo del bajo romanticismo. Mansilla, además, compuso para el teatro *Una vida* (1864) y algunos esbozos breves.

De 1857 son: *El gaucho en Buenos Aires*, cuadro de costumbres de Estanislao del Campo, y *Falucho* o *La sublevación del Callao*, de Laurindo Lapuente, poeta con historia bohemia en la Gran Aldea. De 1860, las piezas breves de Tomás Gutiérrez: *Un ejemplo, Último cuadro de un drama* y *Un pollo*. Gutiérrez fue otro de los jóvenes argentinos con posibilidades para el teatro, que el medio malogró. De 1861 data el estreno de la teatralización de *La novia del hereje*, novela de Vicente Fidel López, realizada por Miguel García Fernández, interesante personaje español vinculado a la escena criolla durante la época de Rosas, donde estrenó *Loas* y "apropósitos federales"; posteriormente, en 1855, dio *La venganza de un alma noble*; el juguete dramático, escrito en veinticuatro horas, *Una noche de truenos*; y resulta grato documentar que, vuelto a España, en 1878, en ocasión de representarse en Madrid la zarzuela *Los sobrinos del capitán Grand*, con añadidos injuriosos para Argentina, salió a la palestra en noble defensa del país donde residió tantos años y de sus tradiciones.

En 1861, el periodista y novelista Luis V. Varela estrena

el apropósito dramático: *Amor filial*. Diez años más tarde da a conocer el drama *El ciego*, representado en italiano por Tomás Salvini, luego reestrenado en español, en 1877, por la compañía de Juanito Reig. También de 1861 es el estreno de la pieza histórica de Bernabé Demaría: *La América libre*. Este autor, oriental, con sentido del humor —gastador de bromas, como el haber hecho circular el nombre y la producción de una poetisa inexistente, recogidos en un famoso *Diccionario biográfico* del siglo pasado—, en el teatro tendió a la seria grandilocuencia. Además de la pieza antes citada, escribió: *¿Locos o cuerdos?*, drama en verso, en dos actos. Los personajes locos de este drama creen ser los viejos actores rioplatenses: Culebras, Morante, Díez, la Guevara, etc. Y la pieza concluye con esta invocación de una loca: "¡Juventud argentina / de la grandiosa historia / de nuestra Independencia / sus grandes hechos vírgenes están; / vuestra misión de gloria / con ellos inaugura / el futuro Teatro Nacional!"

En Córdoba, durante el año 1864, hay algunos interesantes aportes a la dramática nacional. El historiador Efraím Bischoff, en *Tres siglos de teatro en Córdoba*, registra, documentada y pormenorizadamente, la presencia de Pedro Rivas, que se estrena con la comedia *Un pasante y un dragón*; y la de Inocencio Cárcano, músico italiano, padre de Ramón Cárcano, quien compone en dicho año la primera ópera escrita en el Río de la Plata: *Aurelia*. Pedro Rivas, poeta, periodista, impresor, librero, produjo, también para la escena, en 1865, *Los pretendientes de Julia*, *La Hermana de Caridad*. En Buenos Aires, en 1868, Rita Carbajo le representó el drama *La mano de Dios*.

La educadora Juana P. Manso de Noronha publica en 1864 el drama histórico *La revolución de Mayo*. En ese mismo año, Miguel Ortega entrega a las prensas una tragedia: *Lucía Miranda*, donde retomó el tema que sirvió para llevar a la escena porteña una de las primeras obras de sabor americano. El drama de la bella española y del cacique Siripo ha inspirado a gran cantidad de autores de las más variadas ncionalidades y épocas. Miguel Ortega lo trató en fluidos endecasílabos, con el criterio teatral de su tiempo. En 1865, el malogrado Carlos Paz (1837-1874) estrena, en el Teatro de la Victoria, el drama sentimental: *Caridad*. De Paz, dolorosamente desaparecido en la batalla de Santa Rosa, se había conocido, en 1863, *Jean Valjean*, teatralización de *Los miserables*, de Víctor Hugo, y *Mala madre* (1864), drama romántico.

Entre 1865 y 1870, en los campamentos argentinos, en Paraguay, durante la Guerra de la Triple Alianza, hubo representaciones dramáticas, realizadas por soldados y oficiales. En una de ellas fue interpretada una piececilla anónima, en un acto y verso, titulada: *El querer y el rascar*.

Alfredo Roggiano, en el volumen *Una obra desconocida del teatro hispanoamericano*, ha estudiado el texto de *Una venganza feliz*, comedia en un acto y verso, de Manuel López Lorenzo, estrenada el 17 de octubre de 1872, en Chivilcoy, así como ha reconstruido la biografía del autor.

Otro autor de este período es el olvidado Francisco F. Fernández, soldado, periodista, maestro, quien, en 1877, publicó un tomo de *Obras dramáticas*. Ricardo Rojas sacó del olvido a este dramaturgo, consagrando un estudio a su personalidad y reeditando algunas de sus piezas. El tomo de *Obras dramáticas* reúne trabajos de distinta factura e índole. Tres dramas y dos alegorías: *Monteagudo*, drama histórico; *El sol de Mayo*, drama alegórico; *Clorinda*, drama veneciano; *Solané*, drama gauchesco, y *El genio de América*, alegoría. Además de estas piezas, Fernández escribió: *El ángel bueno y el ángel malo*, *La Triple Alianza* y *El borracho*, todas ellas llevadas a escena.

Es interesante destacar en Francisco Fernández —miembro fundador de la *Sociedad Protectora del Teatro Nacional*— la intención de abordar temas vernáculos y la intuición del valor que, para el espectáculo en sí, tiene lo contemporáneo, la actualidad, demostradas al dramatizar un episodio policial en *Solané,* inmediato antecesor del teatro gauchesco que sigue la línea iniciada en la Colonia con *Los amores de la estanciera* y continuada, luego, con *Las bodas de Chivico y Pancha.*

El año de 1877 —el de la fundación de la *Sociedad* antedicha— deja el saldo de otras obras argentinas, aunque no todas lograron ser estrenadas. Así, el poeta santafecino Luis Ocampo, oculto tras el seudónimo "Salvador Mario", escribe los juguetes cómicos: *Algo es algo, peor es nada, En el cielo y en la tierra,* la comedia *Recuerdos de mi tierra* y la petipieza *Entre un tigre y un oso,* ésta sí estrenada en el Teatro de la Alegría el 1º de julio de 1878, junto con otra comedia breve de C. Perié, *Un alma del otro mundo;* lo mismo que *Pobrecitos de los pobres,* representada el 24 de agosto de 1878, junto con el drama de Benigno T. Martínez: *Despotismo y tiranía* o *El doctor Francia, tirano del Paraguay.* La temprana desaparición de Ocampo, acaecida en diciembre de 1879, significó sensible pérdida a nuestra dramática.

Ese mismo año de 1877, el pintor y poeta Pedro B. Palacios —el futuro "Almafuerte"— anuncia la terminación de un drama de costumbres nacionales, titulado *Pobre tesoro.* Probablemente sea el luego denominado *Pobre Teresa,* que se conserva en el Museo de Almafuerte, fechado en 1875. Ha sido estudiado por el señor Rodolfo F. Rodríguez en la biografía del poeta: *El peregrino torturado.*[1]

Florencio Escardó lee en la *Academia Argentina,* en la sesión del 22 de setiembre de 1877, el drama titulado *Siempre se acaba donde se empieza,* con asunto relativo a la epopeya napoleónica, estrenado, luego, en el *Teatro de la Alegría* el 20 de noviembre de ese año, por la compañía española de Tula Castro y Hernán Cortés. Escardó escribió otras piezas

---

[1] En el ensayo *Almafuerte, dramaturgo frustrado* ("La Prensa", 26/2/1967), he analizado el conjunto de los manuscritos teatrales que se conservan de Almafuerte.

breves, como *Ir por lana y salir trasquilado*, juguete cómico escrito para acompañar el estreno de *El frac y el chiripá*, de Antonio Díaz (1875); *El mate de las Morales* (1875), juguete cómico precedido de un elogio del mate; *No especular con papel* (1876) y *Los dos preceptores*, ambos juguetes cómicos, al parecer no estrenados.

A la compañía de Tula Castro y Hernán Cortés también entregan sus obras el poeta y músico Osvaldo Uriondo, quien llega a concretar los ensayos de *La gracia de las porteñas*, pero empeñado en tomar parte en la representación de la obra como actor, sus modales y ademanes afeminados promovieron tantas burlas y escándalos durante los ensayos que la dirección del teatro desistió del estreno; el uruguayo Julio Figueroa, quien le ofrece *Carlos, el presidiario*, drama. Sólo consigue estrenar Matilde Cuyas el drama en tres actos *Contra soberbia humildad*, inspirado en *El desdén con el desdén*, de Moreto, y recuperado del olvido en reedición del Instituto de Literatura Argentina.

El sentido de actualidad, discutido por los críticos como aporte perdurable al arte dramático, fue, sin embargo, el que ya casi en el linde de este período denominado de "la organización nacional", proporcionó algunos engendros de planes vernáculos. Así, por ejemplo, la inauguración de la línea férrea a Córdoba y la Exposición de la Industria (1871), allá instalada, inspiraron la zarzuela de Manuel Tristán: *La exposición en Córdoba*, con música de Santiago Ramos.

Y fue precisamente el acontecimiento político inmediato, en una época agitada, el que llevado a las tablas ha conservado expresión dramática en esbozos, como *El sombrero de don Adolfo* (1874), caricatura en un acto y en verso, de Casimiro Prieto, autor también de *Receta para casarse* (1878). Teatralmente *El sombrero de don Adolfo* es un esquicio intrascendente. Desde el punto de vista artístico, carece de relieves, y aunque sus versos fluyen fáciles, no debe olvidarse que el ánimo del espectador de la época estaba simpáticamente predispuesto, merced a ciertos latiguillos distribuidos por el autor a lo largo de sus ripios. El argumento de la "caricatura" es simple y encuadra en la historia sociopolítica del país. Sabido es que al llegar al término la presidencia de Sarmiento, se presentaron a la disputa electoral las candidaturas de Adolfo Alsina y Nicolás Avellaneda, como posibles sucesores. Algunos conocedores de los entretelones políticos de la época insinuaron que Sarmiento practicó la técnica de la "media palabra" y sugirió el nombre de Avellaneda. *El sombrero de don Adolfo* alude, simbólicamente, a esa "media palabra".

Por su intrascendencia literaria y teatral, *El sombrero de don Adolfo* hubiera pasado sin pena ni gloria, pero las derivaciones a que condujo su representación resultaron tan importantes que han hecho de este esquicio inevitable punto de referencia cuando se trata de discutir derechos y obligaciones del autor teatral. ¿Cuáles son esas derivaciones? En primer lugar, la dilucidación *in extenso* de lo concerniente a censura teatral. Luego la oportunidad de aguda polémica entre Juan María Gutiérrez y Santiago Estrada en torno de los derechos de la Municipalidad para ejercer funciones censoras y la libertad del autor para utilizar la escena como medio de sátira política. El proceso fue largo, enredado; concluyó con una "acordada" de la Suprema Corte de Justicia de la Provincia, donde se estableció: 1º) que la censura es una necesidad de orden social; 2º) que la Municipalidad está facultada para reglamentar su ejercicio. Conclusiones discutibles y de nefastas consecuencias.

Otras expresiones de esta dramática primaria, nervada por la actualidad, son: *La batalla de Santa Rosa (Luchas civiles)*, del español radicado Salvador Alfonso, representada en el *Teatro de la Alegría* en 1877; *Un chileno en Buenos Aires* o *Un marinero argentino* (1877), del actor Manuel Labrada y Campos, con alusiones a la cuestión de límites con Chile, que motiva una resolución municipal; *Don Quijote en Bue-*

nos Aires, de Eduardo Sojo, revista en un acto y en verso, proyección escénica de un semanario de humor político. Todas estas muestras, carentes de valor estético, tienen para los argentinos el sabor de lo familiar, al permitirles reconocer entre sus personajes a hombres de la época, como Bartolomé Mitre, Carlos Tejedor, Adolfo Alsina, Nicolás Avellaneda, Domingo F. Sarmiento y otros.

Mayor jerarquía, en cambio, ofrece *La conciliación*, de Rafael Barreda, sobre el acuerdo de partidos políticos del año 1877. La comedia data de 1878. Fue representada con éxito en Buenos Aires, donde su autor, español radicado en el país desde 1862, era escritor conocido y respetado. *La conciliación* trata, con acento costumbrista, un característico problema familiar rioplatense, revela el ambiente doméstico de clase media en el ochenta porteño, descubre móviles de politiquería criolla. Rafael Barreda, además, escribió para el teatro de Buenos Aires: *Amor y amistad, El hijo del pueblo, Dios perdona, Un sentenciado, Serafín y Serafina, Los dos padres, Cada cual a su negocio* y una comedia araucana: *Chaquira lief*.

También debe figurar en esta enumeración, aunque con merecido repudio, el nombre de Eduardo Bustillo, poeta de algún renombre en España, vinculado comercialmente a las compañías hispanas llegadas al Río de la Plata. Si bien Bustillo dio a las escenas algunas piezas breves como *Razón de Estado*, adaptada con alusiones políticas locales (1877); *Agustina de Zaragoza* (1877), episodio dramático en un acto y verso; *Lo que no puede callarse* (1878), parodia de *Lo que no puede decirse*, de Echegaray, y otras, se caracterizó por ser el detractor sistemático de cuanta tentativa o anhelo de propiciar la dramática nacional se insinuó en Buenos Aires por ese tiempo, aunque elevara al Poder Ejecutivo de la Nación seis proyectos para organizar el teatro criollo.[2]

---

[2] En mi libro *El teatro romántico de Martín Coronado*, he reconstruido las intrigas de Bustillo.

No puede concluir la nómina de los balbuceos dramáticos nacionales de este período sin la mención de los dramas de Ricardo Mujía (h.): *Maldición* (cuya acción transcurre en Venecia, en 1579), y *Cristóbal Colón*, ambos publicados en 1881; de *La Marquesa de Altamira*, drama de Eduarda Mansilla, estrenado en octubre de 1881; de la pieza de Francisco Cobos, *Lo que viene después* (1882); del drama de José Paul Angulo: *Lo absurdo se elimina* (1883).

Tampoco ha de omitirse aquí, en vísperas de consignar el acontecimiento que algunos historiadores tienen por origen del teatro nacional —el estreno del mimodrama *Juan Moreira*, en 1884—, una peregrina teoría sobre el nacimiento de la dramática argentina, formulada por Ernesto Marsili, en 1935, en el volumen *El verdadero origen del teatro argentino*. Dicho comediógrafo apreciaba que el nacimiento del teatro vernáculo —como ha ocurrido en todos los tiempos y lugares— está vinculado con lo religioso. Y atribuía a los sacerdotes salesianos, llegados al Río de la Plata en 1875, la habilidad de interesar al pueblo por el teatro —hasta entonces manejado por *élites*— para, a través de él, hacer proselitismo católico a nivel de las masas. Según Marsili, los salesianos se ramificaron paulatinamente en cincuenta y cuatro casas, esparcidas en provincias y territorios; cada una de ellas con su correspondiente sala teatral. Dicho teorizador documenta que, en 1878, en teatros salesianos se interpretaron las obras de Don Bosco: *El huérfano* y *La casa de la fortuna*. Más tarde, autores locales escribieron sainetes nacionales, como el titulado *La visita de los gauchos*. Varios escritores salesianos proveyeron el repertorio: Monseñor Santiago Costamagna, autor de la zarzuela *El hijo del gaucho en el Colegio* y de *La historia del pan* (estrenada en presencia del general Roca); el sacerdote Aquiles Pedrolini, quien compuso *El arte musical, Candileja y Cía.* y *¡Brr! ¡Qué frío!*; el futuro Monseñor Mariano Esandi, autor de *Trompudo y Galerita*, de varios monólogos y entremeses. Marsili

Literatura dramática argentina

cierra la exposición de su teoría con estos conceptos: "Acostumbrado así el pueblo a los espectáculos teatrales, desde 1876, era natural que tuviese interés por conocer la obra local profana; y cuando el teatro francamente laico empezó a despuntar, como ya estaba formado el ambiente, el pueblo lo recibió con entusiasmo y lo apoyó."

El *parti-pris* de Marsili y la circunstancia de que no fuera un investigador en el estricto alcance del término, lo llevaron a perder el sentido de relación entre los distintos factores gravitantes en el desarrollo del teatro nacional argentino: incidencia de los circos, antecedentes remontables hasta la Colonia, acontecimientos políticos, sociales y económicos, etc. En cualquier forma, su trabajo recuerda, interesantemente, la proyección del teatro salesiano a distintos lugares de Argentina, y a algunos autores y piezas escritas en el país.

En los años que van de 1852 a 1884, toda la vida teatral de Buenos Aires es extranjera. Se escriben piezas, aunque pocas llegan a escena. El pueblo de Buenos Aires —no las *élites*— acude a los circos. Y son las carpas circenses las que ambulan por la República.

Las escasas piezas locales representadas lo son por compañías españolas o en traducciones al italiano o francés, cuando alguna *troupe* de tal o cual nacionalidad, de paso por Buenos Aires, las acepta. No es alentadora la situación para los posibles creadores, lo mismo que la presencia de zoilos y aristarcos, como Bustillo, incidentes en forma negativa. Ello permitirá explicar el éxito, al parecer inconcebible en un medio culto, obtenido más tarde por el mimodrama gauchesco *Juan Moreira*, al ser representado en un picadero circense.

En los últimos años de este período estrenarán en compañías españolas sus primeras obras autores que luego se constituirán en puntales del teatro nacional: Martín Coronado, David Peña, Nicolás Granada, entre los de largas aspiraciones; Emilio Onrubia, Nemesio Trejo, Miguel Ocampo, Manuel Argerich, López de Gomara y otros, entre los saineteros menores.

Y es palpable en el ambiente, ya por el tema político actualizado en el escenario, ya por la madurez de la conciencia de un teatro nacional, una atmósfera propicia para que se concreten las posibilidades de una dramática propia. Atmósfera que se recoge en cuanto comentario aparece en los periódicos y en la sucesiva formación de cenáculos y sociedades que se constituyen sobre los anhelos de cristalizar un arte vernáculo. Así nace, en 1870, *El porvenir literario*, donde se agrupan, entre otros, Rafael Obligado, Martín Coronado, Daniel Escalada, Oscar Liliedal (su presidente), Eduardo Holnberg, R. Mendizábal, Carballido, Lamarque, Basavilbaso, quienes pasan, en 1871, a la *Sociedad de estímulo literario*. En 1872 aparece la *Sociedad de amigos del teatro nacional*; en 1877 se constituye la *Sociedad protectora del teatro nacional*, con Juan María Gutiérrez, Carlos Encina, Rafael Obligado, Martín Coronado, Olegario Andrade, Bartolomé Mitre, José M. Cantilo, Lucio López, Miguel Cané y Francisco Fernández, en su primera comisión directiva, con más de trescientos asociados reclutados entre la flor y nata de la intelectualidad porteña. La *Sociedad protectora del teatro nacional* —de la cual me he ocupado pormenorizadamente en *El teatro romántico de Martín Coronado*— es la primera que intenta rescatar de las garras de los empresarios un porcentaje como derechos de autor.

Es interesante acotar que, en 1878, vuelve a agitar a la intelectualidad porteña la cuestión de la propiedad literaria. De esta inquietud son frutos: una tesis doctoral presentada en julio de 1878 en la Facultad de Derecho por Rafael Valiente Noailles, con el título *El privilegio de los autores*. En ella rechaza tal derecho intelectual. En cambio, el Colegio de Profesores, en la sesión del 1º de julio de 1878, junto con una disertación de Matías Calandrelli sobre *Poesía americana*, escucha al señor D. M. F. Martín y Herrera defender

Literatura dramática argentina

la propiedad artística y literaria. Por otra parte, en ocasión de insertar el diario *La Tribuna*, en folletín, la novela *Delia*, traducida por el doctor Miguel Navarro Viola para su "Biblioteca de cultura popular", éste plantea la cuestión e invoca como amparo legal el decreto del 30 de diciembre de 1823, suscripto por Martín Rodríguez y Bernardino Rivadavia, donde se establece: "La inviolabilidad de todas las propiedades que se publican por la prensa será sostenida en los derechos comunes a toda la propiedad, hasta la sanción de la ley que regle la protección que esta especie de propiedad demanda". Es de hacer notar, además, cómo queda pendiente la inquietud sobre el derecho de propiedad intelectual y cómo buena parte de las conquistas legales en este sentido se deben a los autores dramáticos, quienes insistirán en 1881, con la creación del *Círculo dramático argentino;* en 1895, con la *Asociación de autores dramáticos;* en 1900 con la *Academia del teatro nacional*, que funcionó en el Club de Gimnasia y Esgrima; en 1907, con la *Sociedad de autores dramáticos y líricos;* en 1910 con la *Sociedad argentina de autores*.

La *Sociedad protectora del teatro nacional* fue uno de los primeros esfuerzos orgánicos en pro de tales derechos y ello se manifiesta en el hecho de haber contratado el *Teatro de la Victoria* para la temporada 1878 donde, bajo su patrocinio, Francisco Fernández dio a conocer *Monteagudo* en la sesión inaugural del 1º de junio; y Martín Coronado, *Luz de luna y luz de incendio*, el 16 de junio del mismo año.

No ha de olvidarse, tampoco, la acción en pro del teatro cumplida por la *Academia argentina de letras y ciencias*, que por los mismos años agrupó las mismas personalidades. En su seno se discutió la primera pieza de Martín Coronado: *La rosa blanca*, en 1872. El mismo autor leyó *Luz de luna y luz de incendio* antes de llevarla a las tablas. En sucesivas sesiones, Francisco Fernández sometió a juicio de sus colegas: *Monteagudo, Clorinda* y *El borracho;* Florencio Escardó anticipó *Siempre se acaba como se empieza*.

75

Todos estos anhelos y expresiones parecerían concretar el impulso de la dramática nacional por vía culta. Sin embargo, el destino y las circunstancias, jugando curiosa partida, llevarán a su florecimiento por otros caminos.

En estos derroteros hay una fecha clave: 1884, la correspondiente al estreno del mimodrama, corporificado sobre un folletín de Eduardo Gutiérrez: *Juan Moreira*; pero en su contorno cuentan, también, una serie de fenómenos sociales, políticos y económicos, con resonancia en la actividad teatral: inmigración extranjera, crisis financieras, empresas de alta envergadura, aparición del "género chico", mengua del caudillaje montonero, etc. Coetáneamente con estos procesos, de los cuales en parte se ocuparán los capítulos siguientes, otros autores en Buenos Aires o en el interior, siguieron ensayando sus plumas con más vocación literaria que dramática, un poco ajenos a los nuevos tiempos, fieles a perimidas concepciones del teatro.

Así, por ejemplo, en Mendoza, en 1890, Olascoaga publicó: *Facundo*, drama en verso; y, en 1899, *El huinca blanco*. Eugenio Troisi, que había estrenado en Italia, su patria, *Diana de Siracusa* (1880), *Botoncito de oro* (1881) y *Alfonso XII* (1885), estrena en la ciudad de Córdoba, donde estuvo radicado, *La Condesa Silvia* (11 de junio de 1889); luego, en Buenos Aires, *La inundación de Córdoba* (1891) y *El mutilado de Albi-Garcmín*. Escribió, además, aunque no las estrenó: *La bandera roja* y *Nuestra Señora de los Buenos Aires*, drama lírico.

También en Córdoba, Martín Goycoechea Menéndez estrenó, el 2 de junio de 1898: *Un cuento Pompadour* y el 15 de agosto de 1900, el drama *A través de la vida*, reeditado por el Instituto de Literatura Argentina. Siempre en la misma ciudad, el 15 de julio de 1898, Hipólito Lazcano estrena *Amor de suegra*; en 1900: *Juanito el ingeniero o Los atorrantes*; y el 2 de julio de 1906: *Cómo se pagan las deudas*. Recuerdo especial merece en la historia de la creación dra-

Literatura dramática argentina

mática, en Córdoba, en este período, otro religioso quien —como los salesianos en distintos lugares del país— proveyó de un repertorio destinado a dar medios de ejercicio dramático a alumnos y alumnas de los colegios religiosos de su diócesis. Se trata de monseñor Pablo Cabrera, quien compuso: *El paraíso perdido* (1888), *Mensajera de luz de vida* (1889); *La felicidad* (1890); *Cristóbal Colón* (1892); *La virgen del milagro* (1892); *El cautivo* (1893); *Vida de Santa Germain Cousin* (1895); *Los patriotas de Mayo* (1903); *Un meeting de colegialas* (1903); *El doctor Patelén* (1903); *Zoquetín* (1903); *Adelante con los faroles o El feminismo en el siglo* xx.

VII. Fin de siglo y nueva centuria (1884-1910)

1. *Impulso hacia el florecimiento del teatro argentino*

El lapso comprendido entre los años 1884 y 1910 se señala por el impulso que recibe la dramática criolla hasta la concreción de un definido teatro nacional.

En lo que va de 1884 a 1900, en primer lugar y liquidando la centuria madre, se observan tres presiones distintas en puja por cuajar ese teatro vernáculo: por una parte, la del discutido y discutible *teatro gauchesco* cuyos hitos ya estaban marcados con los sainetes *El amor de la estanciera, Las bodas de Chivico y Pancha,* los esbozos patrióticos, *Solané,* hasta desembocar en *Juan Moreira*; por otra, la del *teatro menor,* que sigue en sainetes y revistas la escuela del "género chico" español con la concurrencia de plumas no pulsadas por literatos, sino por gente de escasa cultura, en contacto con la calle, improvisada al trasladar a escena una realidad observada en las casas de inquilinato, los comités políticos, cafés, plazas, etc.; finalmente, un pretendido *teatro de aliento,* practicado por núcleos intelectuales.

En los años comprendidos entre 1900 y 1910, del núcleo inicial de la familia Podestá, funámbulos con alma de comediantes saltados del circo al escenario, se irán desprendiendo nuevos intérpretes, que constituirán nuevos elencos nacionales y, en menos de una década, el panorama teatral argentino, visto desde Buenos Aires, cambiará fundamentalmente al contar con compañías criollas que sustituyen a los elencos españoles y brindará a los autores la ansiada oportunidad de escribir y ver representadas obras en las cuales tipos y caracteres autóctonos reclaman intérpretes afines. Florecerá entonces el teatro argentino: una falange de comediógrafos y dramaturgos le da categoría artística; algunos conseguirán hacer del teatro un *modus vivendi*, aunque el "negocio", la "industrialización" del teatro, no tardarán en agostar ese esperanzado florecimiento.

2. *El teatro gauchesco*

Bajo la carpa de un circo, con payasos y pruebistas como intérpretes y con una primitiva pantomima, nació la modalidad que inyectaría savia nueva al endeble tronco de ese teatro criollo que, al cabo de un siglo de castigada vida, aún no había podido erguirse con propia personalidad.

Se llama al teatro provenido de tal modalidad, gauchesco, porque acerca a la escena un tipo humano característico de las pampas argentinas: el gaucho, figura histórica y legendaria, a la vez, grata a la tradición nacional. Figura que en lo grueso de las caballerías criollas, en la montonera o en los cuartelazos, con una tacuara y un facón supo dar pruebas de coraje y valor inauditos; mientras que, bajo las arbitrariedades de un mandón político, un mal juez o una mala autoridad de campaña, fue pisoteado, manoseado, debiendo huir de los "poblados" a refugiarse entre los indios, o a "matrerear" en los montes. Carne de cañón en las patriadas, contuvo malones, ganó fronteras en el desierto y poco de ello le fue reconocido a su tiempo. Por el contrario, "leyes de vagancia", persecuciones como "vagos y mal entretenidos" descargaron sobre él injusticias sociales que promovieron sus rebeldías. Legendarios e históricos a la vez, Santos Vega, Martín Fierro, Juan Moreira, son arquetipos de ese gaucho viril que así como enhebraba en su guitarra décimas sentidas a su "china", matrereó acosado por las partidas, mellando su daga en las "latas" de policianos apoltronados.

Precisamente, explotando esa modalidad simpática del gaucho, nació *Juan Moreira* en la escena, coincidente, además, con una saturación del tema gauchesco en el ambiente ciudadano: saturación social entrañada por la elegía y el alegato romántico; saturación crítica que llevó a discusiones sobre la legitimidad de las expresiones gauchescas, pues no ha de olvidarse que desde *Facundo,* de Sarmiento, y aún antes en Godoy e Hidalgo, el tema venía perfilándose; que en 1869 apareció *Fausto,* y en 1870, *Gobierno gaucho,* ambos de Estanislao del Campo; que en 1872 desparramaba su oleaje social *Martín Fierro.* Agréguense los folletines gauchescos de Eduardo Gutiérrez, los romances anónimos circulantes en ambas márgenes del Plata, la reedición de las obras de Echeverría, en 1870, con el nuevo auge de *La Cautiva* y el descubrimiento de *El matadero.* Y también las escritoras rioplatenses abordan el tema gauchesco —hasta en francés—, como lo hace Eduarda Mansilla en *Pablo on La vie dans les pampas.*

El incremento inmigratorio acerca al hombre de ciudad el conflicto entre el primitivismo de la campaña en manos del gaucho y las posibilidades del progreso, al mismo tiempo que las últimas expediciones contra los indios actualizan las virtudes legendarias del gaucho. Todo ello contribuye a la saturación temática que junto con otros factores: presencia de un texto, intérpretes, simpatía del público, coincidencia de sensibilidades e intereses, apoyo de la crítica y viejos anhelos de plasmar una dramática argentina, acrisolarán el impulso hacia el florecimiento de un teatro argentino, hecho que muy simplistamente suele atribuirse al estreno de *Juan Moreira* como pantomima circense realizada por los Podestá, silenciando antecedentes abundantes.

Juan Moreira nació para la escena de un deliberado propósito de explotar las facetas románticamente simpáticas del gaucho, como tipo en vías de extinción. Fue al principio especie de mimodrama que corporificó sin palabras el relato de Eduardo Gutiérrez así titulado, aparecido, en folletín, en las páginas de *La patria argentina*. José J. Podestá, miembro de una familia de saltimbanquis que después se instalará en los escenarios ciudadanos como intérpretes dramáticos —ya famoso como clown con el apodo de "Pepino el 88"—, personificó al protagonista manifestando condiciones para el "mimo" y poniendo también en juego todas sus habilidades de jinete, saltarín y cantor de aires criollos.

Juan Moreira, representado por primera vez el 2 de junio de 1884, previsto como "fin de fiesta" para cerrar una temporada del circo de los hermanos Carlo, tuvo éxito y resonancia inesperados. La crítica entrevió en la estilización de ese tipo criollo la posibilidad de una fuente realista y autóctona que nutriera al teatro nacional y el público le dispensó favor entusiasta; tanto que, tiempo después, al inicial mimodrama se pensó añadirle diálogos. Así, utilizando elementos literarios de su folletín, el propio Eduardo Gutiérrez lo dramatizó.

Juan Moreira puso en los escenarios el presente y la presencia de factores de grata resonancia al oído popular. Era frecuente en el interior del país la prepotencia de los caudillejos políticos y de las autoridades amatonadas y obsecuentes, que cometían desmanes, atropellos e injusticias. En este sentido, el folletín de Gutiérrez resultaba un documento más, un documento realista, como lo fueron antes *Gobierno gaucho*, *Martín Fierro* y como lo serán, posteriormente, los *Cuentos de Pago Chico* y *Las divertidas aventuras del nieto de Juan Moreira* de Roberto J. Payró o algunas de las novelas argentinas de Carlos M. Ocantos.

Moreira estaba presentado por Gutiérrez como gaucho valiente, que hace frente al mandón, el cual no sólo lo ultraja, sino que pretende robarle la mujer. También hace frente a la *partida* policial cuando quiere prenderle injustamente y sabe, caritativamente, aunque siempre con dejo de rebeldía, ayudar a alguno más desvalido que él. Por todo ello, ese gaucho tenía de antemano ganadas las simpatías de los auditorios; y cuenta José Podestá, el intérprete, en sus Memorias: *Medio siglo de farándula,* que en muchas localidades del interior del país, las autoridades prohibieron representar *Juan Moreira,* porque después de ver las funciones, los paisanos no se doblegaban al machete ni al rebenque.

Por el hecho de que *Juan Moreira* aparece como encabezando la época en que el teatro nacional recibe el impulso hacia su florecimiento y porque de él se desprende una secuela de imitaciones, configuradoras del llamado *teatro gauchesco,* algunos historiadores ubican en este momento el nacimiento del teatro nacional argentino y atribuyen al mimodrama circense y a los miembros de la familia Podestá, la paternidad del mismo. Con tal atribución anulan injustificadamente un siglo de tanteos, búsquedas y de actividad teatral respetable. Contra ellos escribió Mariano G. Bosch *Los orígenes del teatro nacional argentino* y anteriormente los había rebatido Ricardo Rojas, desde las páginas de *La literatura argentina.* También en *Sociología del teatro argentino* he estudiado desde ángulos diferentes esta cuestión, considerando, en primer lugar, los factores que hacen lo nacional de un arte, su correspondencia con una sociedad unida y vigorosa, la presencia de intérpretes, crítica y autores propios. En tal sentido, las gradas del circo, el tema gauchesco, los saltimbanquis y la intelectualidad hallaron el punto de coincidencia que dio nuevo sesgo a manifestaciones teatrales, ensayadas desde el comienzo de la nacionalidad.

La cuestión del origen del teatro nacional argentino empezó a adquirir matiz algo polémico, cuando Manuel Ugarte en un capítulo de *Las nuevas tendencias literarias* concede a *Juan Moreira* y a los Podestá, el carácter de creadores de esa dramática; polémica acrecentada al publicar Vicente Rossi

Teatro nacional rioplatense y afirmar allí, rotundamente, que hasta 1870 no hubo nada nacional en la escena de ambas márgenes del Plata.

Aquí cabe consignar una vez más, sintetizando la tesis sostenida en *Sociología del teatro argentino*, que *Juan Moreira* ha de considerarse "fiesta" teatral, ejemplo de teatro total, popular en el prístino sentido de la expresión; el pueblo congregado, sin distinción de clases, en las gradas se identificó con la escena primitiva, con el texto de sabor vernáculo de una leyenda ya aderezada por la imaginación folklórica, con intérpretes de idiosincrasia próxima. *Juan Moreira* fue fruto tardío del romanticismo social. Su ascenso a los escenarios coincidió con el fin de las luchas civiles que dividieron a los argentinos; con la marea creciente de los contingentes inmigratorios que desalojaron al gaucho indolente, reacio al progreso, las leyes y el orden; con la transformación de compadres y delincuentes —como el propio *Moreira* histórico, como Pedro Suárez— en héroes anárquicos e idealistas, semejantes a los bandidos románticos y capaces de actitudes de rebeldía que los confinaron como *out-laws*.

Juan Moreira es el modelo que proporciona una secuela de piezas gauchescas —muchas de ellas pésimas— en la cual tienen intervención algunos autores que, como los Podestá, eran uruguayos; entre otros Abdón Arósteguy y el doctor Vicente Pérez Petit.

Abdón Arósteguy, militante político y revolucionario en su patria, periodista e historiador, debió desterrarse a Argentina. Hombre de cultura organizada, declara públicamente su apoyo al teatro gauchesco y estrena piezas de ese carácter. En 1892 escribe *Julián Giménez*, al día siguiente de presenciar una representación de *Juan Moreira*. Aquella pieza le granjea firme prestigio en el ambiente teatral. Entre otras obras, de menor significación, el repertorio de Arósteguy incluye las tituladas: *Personajes de América, Ituzaingó* y *Los hijos del virrey.*

Vicente Pérez Petit, en 1894, estrena *Cobarde*, drama gauchesco del mismo corte que los anteriores; luego da a conocer: *Las tribulaciones de un criollo, La ley del hombre, La rondalla, Mangacha*, entre otros que completan una enorme producción literaria y crítica, reunida en cuarenta y cinco volúmenes por ley del parlamento uruguayo.

Junto a los nombres de estos autores orientales han de aparearse el de algunos argentinos, que modestamente también colaboraron en aquella hora singular de la dramática nacional. Tales, por ejemplo, Eugenio Gerardo López y Agustín Fontanella. El primero, proveedor de piezas y adaptaciones para los escenarios circenses, llegó a reunir nutrida y dispar producción y debe recordársele, sobre todo, como precursor del teatro gauchesco, aunque luego su nombre se mantuvo firme en las carteleras teatrales por largo tiempo, con sainetes y comedias. *La santa, Como las criollas, Garras, El calor de las chinas, Juan el patriota, Fatalidad* son algunos de los títulos mencionables.

Agustín Fontanella, italiano y naturalizado argentino, proveyó a los circos dramas como *La muerte del héroe* y *El asistente Mateo.* Su primer éxito resonante lo obtuvo con *Tranquera*, al que siguieron *Don Gregorio el capataz, Facha bruta, Federación, El secreto de la virgen*, etc. Produjo constantemente hasta 1920 —su repertorio se acerca al centenar de piezas— y fue uno de los autores que dieron impulso a la zarzuela criolla y al sainete lírico.

En el capítulo "El drama criollo y los circos finiseculares" de mi libro *El circo criollo* he reconstruido esta etapa pre-escénica y allí aparecen datos y referencias de otros autores y adaptadores. Las malas imitaciones estuvieron a punto de malograr posibilidades de este teatro gauchesco en relación con la dramática nacional, hasta que una obra de reales méritos llega oportuna a marcar nuevos rumbos a los intérpretese circenses y los encamina a la escena, apartándolos del picadero genitor. Tal es el significado de *Calandria*, de Martiniano Leguizamón, que limó las rudezas de Moreira. Estrenada en mayo de 1896, *Calandria*, comedia gauchesca —égloga, como bien la califica Ricardo Rojas—, está dividida en diez cuadros. El protagonista, Calandria, es un gaucho matrero, cantor, valiente y leal. Tiene innata bondad y si bien la justicia arbitraria se ha ensañado con él por faltas insignificantes, se venga burlándose de ello. Se interna en la selva, de la cual sólo saldrá al impulso de un amor, para caer en cobarde celada.

Calandria constituye positivo avance sobre *Juan Moreira*. Leguizamón ofrece una más rosada concepción de la vida. El gaucho Calandria se manifiesta creyente, expansivo, optimista; y resulta un personaje de verdadera categoría estética, ampliamente brindado, hasta convertirlo en símbolo.

Calandria trajo vientos de renovación en el panorama teatral argentino. Con él murió el gaucho indolente, lírico, poco afecto al trabajo, con ansias de pampa libre y ensueños; nació, en cambio, para el teatro, el paisano, el criollo trabajador, que enjaulará el vagabundeo entre alambrados gringos, que recortan la pampa de las antiguas correrías; que cambiará las "pilchas" tradicionales por la bombacha de trabajo; entrará en el ámbito de la creación dramática ese nuevo tipo que motivará, luego, la aparición de obras como *La piedra de escándalo*, de Coronado; las de Florencio Sánchez, como *La gringa;* y otras dignas expresiones del teatro vernáculo que se señalarán oportunamente.

Además de *Calandria*, Martiniano Leguizamón escribió otras piezas eclipsadas por aquella, como *Canto a la vida, Las almas que luchan, Los apuros de un sábado* y *La muerta*.

3. *El "género chico"; el teatro breve*

El teatro popular español, a través de la zarzuela, tuvo en el último cuarto del siglo pasado gran auge en la Argentina y contó con el favor del público rioplatense, que repartió sus predilecciones entre ella y la ópera. Cuando las compañías de "zarzuela grande", por imperativos diversos comenzaron a practicar el llamado "género chico", allí pudieron ensayar sus plumas e ingenio algunos saineteros locales, que siguieron fielmente el modelo español.

La de "género chico" es una denominación un tanto arbitraria que, por herencia española, pasó al Río de la Plata para designar ciertas expresiones de *teatro menor*. Digo un tanto arbitraria por varios motivos: 1) porque alude, no a un género, sino a determinadas especies dramáticas menores; 2) porque pretende caracterizar por extensión y duración, lo que sólo puede ser diferenciado por valores intrínsecos; 3) porque engloba lo mismo especies musicadas que especies de letra sola; especies cómicas, satíricas, costumbristas, dramáticas o de simple reflejo de realidad inmediata e intrascendente; especies que funcionan como relleno de un espectáculo o que por sí mismas se constituyen en el espectáculo.

Ángel Ossorio y Gallardo, en celebrada disertación sobre "Gloria y ventura del género chico", recogida en el volumen *La palabra y otros tanteos literarios*, proponía con razón, que "si en lugar de llamar chico a este género, le llamáramos breve, procederíamos con justicia y veríamos el panorama con mayor claridad". Y Pedro Salinas, en *Literatura española siglo* XX, confirmaba: "la denominación de género chico, de alcance puramente material, dimensional, ha arrojado sobre tales obras una desvalorización, una sombra de origen". En efecto, la denominación "género chico" fue un hallazgo circunstanciado, de connotación comercial, para promover, en momentos de crisis de espectadores y de teatro, en Madrid, una nueva modalidad del espectáculo escénico. La denominación, por el éxito de la novedad, adecuada a momentos de dificultades económicas y decadencia artística, prosperó como la especie.

El cronista español José Deleito y Piñuela, reunió en 1949, con el título de *Origen y apogeo del género chico*, nutrido volumen de artículos sobre el proceso de dicho espectáculo en Madrid. Y en el pórtico del mismo, hace la salvedad de que si bien se le llama género chico, lo de "chico" va por su magnitud, pero resulta "grande", por su resonancia "aún subsistente, y por el valor artístico de sus creaciones". Y añade: "género que llena una época de nuestra escena y en el cual, juntamente con obrillas endebles, que la enorme abundancia de su producción hacía inevitable, se destacan joyas líricas de difícil superación, obras maestras".

Lo que sostiene Deleito y Piñuela acerca del género chico español en esas palabras preliminares, puede aplicarse, con mínimas variantes, al género chico criollo en el Río de la Plata. Y hay más aún en las coincidencias y similitudes, verificables cuando el citado cronista apunta, pocas líneas más adelante, "las sucesivas fases en la evolución recorrida por el género chico, desde su origen hasta su plenitud: el sainete hablado, el sainete lírico, la revista de espectáculo, la revista política, la comedia con o sin música, etc.", pues cabe acotar que los mismos términos y etapas podrían marcarse en el particular caso del teatro criollo.

Deleito y Piñuela precisa la fecha de 1869 —coincidente con la de la revolución y ulterior caída de Isabel II— como la del surgimiento del género chico en Madrid; mientras que Ossorio y Gallardo fija la de 1870 y el *Teatro del Recreo*, como la empresa que "acomete el inesperado empeño de representar 'teatro por horas' ". En esta idea del "teatro por horas" se debe buscar el factor determinante de buena parte de las características del género chico, particularmente las relativas a su aceptación popular y a su afirmación. Hago notar que el auge del género chico como "moda", racha o ven-

Literatura dramática argentina

tolera popular, o como teatro industrializado, en España, según Ossorio y Gallardo, llega hasta los alrededores de 1920; en cambio, Deleito y Piñuela señala que el género chico fue dominante en los últimos treinta años del siglo anterior y que muere hacia 1910, a manos de su hijo y heredero, el "género ínfimo". Aún más breve será el auge del género chico en Argentina, porque si bien aquí empiezan las manifestaciones afines a las españolas en la década 1880-1890, la industrialización y bastardeamiento de la especie se verifica entre 1910 y 1925, aproximadamente. De esa industrialización —causa del agostamiento prematuro de la especie— se puede decir, análogamente que de la española: "era el género chico un río de afición y otro río de oro", como expresó Ossorio y Gallardo al dar idea del éxito, de la aceptación popular y de las pingües ganancias proporcionadas a empresarios, cómicos y autores usufructuadores de la especie.

De ese éxito, para el caso español, el autor de *El alma de la toga* dio algunas razones, que me permitiré enumerar por la similitud que guardan con las equivalentes referidas al Río de la Plata. Una de ellas es el orgullo nacional: así como los españoles se vanaglorian de la paternidad del género, los criollos han ido creciendo en el sentimiento de reconocer como propios —y exclusivos— ciertos rasgos de la sainetería. "El segundo motivo de la gran acogida es el de la distribución del tiempo por parte del espectador". Se va al teatro a un espectáculo breve, que no obliga a perder gran parte de la noche, sobre todo a gentes madrugadoras. El tercer motivo constituye razón económica: el teatro fue puesto al alcance del bolsillo del pueblo, en duros momentos económicos. Argentina los soportó en la década 1880-1890.

La cuarta razón, consecuencia de las anteriores, produjo el fenómeno de acercar el pueblo —que en el Río de la Plata prefería los circos— al teatro y el teatro al pueblo; fenómeno que para el caso particular de Argentina, además, apuntaló la delineación de la dramática nacional con tipos, problemas y enfoques ciudadanos, paralelos a los que cumplió a su tiempo el teatro gauchesco en relación con los ámbitos rurales.

Como última razón, Ossorio y Gallardo señala la que estimo que (frente al desconcepto actual del género chico) brinda punto de partida para una reconsideración crítica de sus caracteres: la multiplicidad de estilos abarcada por dicha especie.

Esquematizadas estas afinidades, cabe recordar que en Argentina existió desde la Colonia la costumbre de un espectáculo único por velada, en los teatros. En 1878, por razones económicas y de rivalidad comercial, la compañía de Tula Castro y Hernán Cortés, que actuaba en el Teatro de la Alegría, estrenó algunas obras de autores vernáculos sin abonarles derechos de autor. Por ello, organizada en dicho año —según antes dije— la *Sociedad protectora del teatro nacional*, no se dirigió a aquella compañía para proyectar su plan de representaciones, sino que convino con el Teatro de la Victoria y la compañía de Francisco Rodríguez la realización de cuarenta funciones a precios reducidos para representar las obras criollas. La empresa del Alegría se sintió afectada en sus intereses e instigada por Eduardo Bustillo, su asesor artístico, comenzó a ofrecer dos funciones diarias los jueves y los domingos: una a las dos de la tarde; otra a las ocho de la noche. Esta modalidad, iniciada el 19 de mayo de 1878, con la representación de *El héroe por fuerza*, en vespertina, y *Don Juan Tenorio*, en nocturna, fue luego seguida por la empresa del Teatro de la Ópera, donde languidecía la compañía de Zarzuelas de Juan La-Costa; y por la del Teatro de la Victoria.

Pero fue a raíz de la revolución política de 1890, de las dificultades económicas enfrentadas por el país, cuando las tentativas aisladas de empresarios y zarzueleros criollos incipientes, se canalizaron por la vena de la sátira de actualidad y, a imitación de las revistas hispanas del tipo de *Luces y*

Literatura dramática argentina

sombras, Vivito y coleando o *La gran vía*, perfilaron sainetes y revistas líricas, con los cuales adoptaron el sistema del "teatro por horas". Las de Emilio de Onrubia, Nemesio Trejo, Miguel Ocampo, Manuel Argerich, López de Gomara, Ezequiel Soria son, entre otras, las plumas precursoras. Y algunos cómicos españoles de segunda categoría, transplantados accidental o definitivamente al Plata, los intérpretes. Tales: Félix Mesa, Lola Millanes, Elsa Pocoví, Emilio Orejón, Rogelio Juárez, Eliseo San Juan, Mariano Galé, Julio Ruiz, Abelardo Lastra, Arsenio Perdiguero. Entre unos y otros, al decir de Blas R. Gallo en *Historia del sainete nacional*, "el género chico se transformaba de hispánico y zarzuelista en hispánico-nacional y sainetero".

El nombre de Miguel Ocampo con el sainete lírico *De paso por aquí*, pese a lo efímero de su paso por el teatro, reclama primacía en el orden del género chico criollo, especialmente porque en él se registran tipos y giros porteños, lenguaje orillero, lunfardismos, que constituirán uno de los aspectos típicos del sainete arrabalero.

Manuel Argerich se inició en el teatro con una comedia: *Apariencias y recuerdos*. Pero su memoria se asocia a las zarzuelitas *Los consejos de don Javier* (1892), *Triste destino* (1899). Escribió, además, las comedias: *Lo que sucedió una vez* y *Susana*.

Nemesio Trejo ha de ser considerado como verdadero gestor del sainete criollo ciudadano. Aun guardando los moldes hispanos fue de los primeros en tratar de diferenciar el acento y de poner notas tipificadoras. Proveniente de un medio popular, hombre de escasa cultura, supo trasladar a sus piezas los tipos entrevistos en las calles y lugares de su infancia y adolescencia. Las piecillas que compuso, quizás por insistir en la nota política de actualidad, han sufrido el paso del tiempo. Escribió más de cincuenta obras breves, desde 1890, año en que se inició con las revistas: *La fiesta de don Marcos* y *Un día en la Capital*, que le valieron persecución policial.

Posteriormente dio a conocer *Los óleos del chico, El testamento ológrafo, El registro civil, Los vividores, Los inquilinos, Los devotos, Las empanadas, Las mujeres lindas,* etc. Trejo llegó a ser, en esta época inicial de la especie, el sainetero más cotizado y popular y sus sainetes líricos *Los políticos* y *La esquila* se incluyen en las antologías, como modelos del "género chico".

Emilio de Onrubia, hombre de fortuna, aficionado al teatro, entra en esta serie sólo por su "cuadro social", en tres actos, *Lo que sobra y lo que falta,* que estrenado en vísperas de la revolución del noventa, promueve serio escándalo en el Teatro Onrubia, cuyo propietario —el propio autor de la pieza— terminó en un calabozo policial. Onrubia escribió varias piezas serias, entre las que cuentan: *La muerte de Rivadavia,* boceto dramático estrenado en el Teatro de la Ópera el 11 de octubre de 1885; *Sin horizonte,* drama en tres actos, estrenado quince días después del anterior en el mismo teatro; *La copa de hiel,* drama en tres actos, también estrenado en el Teatro de la Ópera; *La hija del Obispo,* interpretada por Novelli en 1907, quien le había representado *Vieja doctrina*.

Justo S. López de Gomara, periodista español de múltiple actividad, cuenta en el historial del género chico criollo, pues a pesar de que sus primeras producciones son llevadas a las tablas cuando apenas contaba con cuatro años de residencia en el país, desde la primera comedia: *Gauchos y gringos* (1884), reveló interés por los temas locales, aunque, en realidad, a menudo fracasaron sus buenas intenciones. Entre 1884 y 1889 estrenó *La justicia de la tierra* y *El submarino Peral*.

Gauchos y gringos, coetánea de *Juan Moreira,* insinuaba, como *Solané,* el conflicto entre nativos y extranjeros en la dramática, como antes lo documentó la épica. El aporte del inmigrante comenzaba a imponer nuevos caracteres, tanto en la sociedad de tradición patricia como en los medios campesinos. Una y otros son alcanzados por la ola de cosmopolitismo. Los viejos círculos se resquebrajaron y a la presión avasalladora del aluvión inmigratorio se unirán, más tarde, las crisis económicas, los "crashs" bolsísticos, la depreciación monetaria, que arruinarán a muchas familias de abolengo y elevarán a hombres de visión, a humildes y hasta entonces menospreciados trabajadores. No tardará en aparecer la operación de trueque: fortuna por blasones, que proporcionará a la dramática nacional abundantes asuntos, por largos años.

En 1889, López de Gomara compone una revista: *De paseo en Buenos Aires*, galería de cuadros y personajes porteños de las más variadas clases. Se dice que esta revista fue la primera pieza que produjo derechos a un autor, en Argentina; creo, sin embargo, que el dato no es totalmente exacto. En la revolución de 1890, López de Gomara tuvo activa intervención que luego su pluma evocó en un drama breve, en verso, que no obstante su escaso valor teatral, obtuvo extraordinario éxito.

López de Gomara es uno de los autores modestos que contribuyó con aporte eficaz a hacer posible ese teatro criollo que latía en los anhelos de tantos aficionados al arte dramático. Y si bien escribió obritas, como: *Curupaytí, Savonarola, Melindres de enamorada, Germen noble, La sombra del presidio* y *La virgen de las niñas*, que se suman a otras en un total de ventiocho producciones teatrales, se le recuerda particularmente por las piezas breves iniciales, vinculadas con la historia política del país.

Ezequiel Soria es quien realiza obra más perdurable de todos los saineteros de este fin de siglo XIX. Hace sus primeras armas con una revista de molde hispánico: *El año 1892*, galería de cuadros y personajes porteños donde se reseñan acontecimientos de dicho año. Luego, llevado por su don de observador directo de tipos y costumbres, acerca a la escena notas suburbanas, como ambientación, con la fauna humana característica de los aledaños. *Justicia criolla*, por ejemplo, lleva el conventillo al escenario. La producción de Soria se integra con *Ley suprema*, breve tema campesino representado en 1897. Al año siguiente con *El deber*, donde reaparece el conventillo. Más tarde: *La beata, El fuego, Bravucho* y *El medallón*. Escribió algunas zarzuelas como: *Amor y lucha, El sargento Martín* y *Amor y claustro*.

Las piezas de aliento de Soria fueron aplaudidas, pero no entusiasmaron. Lo mejor de su vena dramática lo dio como pintor de tipos populares, en piezas del género chico. Y su nombre, junto con el de Joaquín de Vedia, quedó íntimamente ligado al proceso del teatro porteño de la época, no sólo en calidad de autor, sino también como organizador y director artístico de las mejores temporadas, en ese breve lapso que puede denominarse "edad de oro" de la escena argentina y que se prolongará las dos primeros décadas del siglo XX.

En este encuadre de los balbuceos del género chico criollo, también cuentan en el teatro argentino dos autores orientales como Emilio Buttaro y Enrique de María. El primero estrenó con los Podestá, en 1898, *El zorzal o La cruz de bronce*; luego les entregó *Abajo la careta* y el sainete *Fumadas*, cuyo éxito popularizó su nombre. El segundo, tras haber escrito varias piezas, como *Gauchos y galeras* y *Los lanzamientos*, logró fama con la revista *Ensalada criolla* (1898) y con el sainete *Bohemia criolla* (1902).

Los nombres hasta aquí mencionados podrían relacionarse con la prehistoria del género chico en el Río de la Plata. La historia propiamente dicha arranca con el siglo nuevo y si, en líneas generales, ofrece nombres señeros, como los de Florencio Sánchez, Enrique García Velloso, José González Castillo o Carlos María Pacheco, su conjunto es tan abigarrado y heterogéneo, que resulta muy difícil rastrear en él líneas directrices, orientaciones y realizaciones destacables.

Al entrar en el siglo XX el género chico se apartará paulatinamente del molde de la pequeña zarzuela hispana, para convertirse en expresión de *teatro breve* o *menor*, preferentemente de letra. Es del caso hacer notar, para la justa apreciación, que el teatro breve constituye —en cierto sentido, dentro del género dramático— realización equivalente al cuento dentro de la épica. Éste exige mínimo número de secuencias narrativas, concentradas en proximidad al desenlace; prescindencia de prolegómenos y episodios, ínfimo consumo de tiempo, fuerza sugestiva para transportar pensamiento e imaginación más allá de la palabra o el hecho enunciador; margen para cualquier desborde o arbitrariedad de la fantasía.

El cuento es piedra de toque para el narrador. Un buen cuentista posee instrumento y hábitos provechosos para ensayar con posibilidades la novela. No es muy seguro, en cambio, que el buen novelista cuente con igual número de posibilidades si llega al cuento desde la novela.

Del mismo modo, el teatro breve —el cabal, se entiende, no los esquicios intrascendentes, astrakanadas o juguetes simplistas— aspira a producir en la concentración de un acto los efectos del desarrollo y concentración del teatro mayor sin abdicar de altura, calidad, tono. Como ejercicio de síntesis y automedida de las disposiciones de teatralidad, lo han cultivado los más grandes dramaturgos. A través de lo que podría considerarse historia del teatro menor, se registra como constante el hecho de que casi siempre el teatro breve se ha manejado, en sus muestras auténticas, con un sentido de búsqueda y exploración; y, frecuentemente, es dable verificar cómo una época en que se da con abundancia el buen teatro breve, es época de interés general por el teatro.

En el medio argentino, luego de los días precursores, entre 1880 y 1890, se registraron modalidades diversas de dicho teatro, según las distintas épocas. La primera corresponde al auge del "teatro por horas" que llega hasta 1925. En ella el teatro menor paulatinamente pierde sentido explorativo para comercializarse. Ese proceso es, paralelamente, índice de la marcha de la dramaturgia criolla desde el cénit a su declinación. Sainetería epidérmica, manierismo, progresiva degradación estética por exceso de demanda, son sus rasgos externos. Esta primera época corresponde a la imagen del "río de oro" propuesta por Ossorio y Gallardo para el caso español. Pero entre el fárrago se pueden rescatar obrillas de noble calidad, que incluyen dramas y comedias en un acto. Son aquellas creadas al margen del reclamo taquillero, que llevan las firmas de autores valiosos, como los ya citados Sánchez, García Velloso, Pacheco; o las de Roberto J. Payró, Vicente Martínez Cuitiño, José González Castillo, Armando Discépolo, José A. Saldías; en algunos casos, Alberto Vaccareza, Roberto J. Cayol, Pedro Aquino, Samuel Eichelbaum, Alejandro Berrutti y otros.

Después de 1930, desaparecidos los espectáculos por secciones, eclipsado el "teatro por horas", el género breve quedó relegado, por muchos años, a fiestas escolares y a los cuadros filodramáticos. Luego, por una parte, la radiofonía, y más tarde la televisión, señalaron nuevas posibilidades a las experiencias de teatro breve; por otra, el florecimiento de los grupos vocacionales e independientes, abrió camino a un nuevo tipo de espectáculo integrado por piezas cortas, especie de laboratorio para dar posibilidad de práctica a actores, autores y directores noveles.

Finalmente, los ejemplos del vanguardismo teatral europeo, al asimilar los efectos escénicos audaces al relámpago de la emoción lírica improlongable —ya no al cuento, como antes, sino al poema—, estimularon a las generaciones nuevas a ensayos dramáticos de la más diversa índole, sólo viables por impactos de absurdidad, sorpresa, iracundia, desconcierto o subjetivismo intenso.

El teatro breve, derivado del género chico, ha vuelto en el presente a una función dramática experimental. Pero el teatro menor actual, ¿tiene algo que ver con aquel que configuró el género chico? Evidentemente, muy poco. Le faltan sabor popular, colorido, realismo directo, consonancia con la calle. Le sobra, en cambio, abstracción.

El paso de la familia Podestá —saltimbanquis, pruebistas, payasos, atletas— del picadero circense a los escenarios ciudadanos es un hecho que repercute en todas las manifestaciones teatrales. El género chico lo mismo que la dramática gauchesca son alcanzados por tal circunstancia. Los críticos y los historiadores suelen apreciar ese paso como favorable para el desarrollo de la literatura dramática nacional. En *Sociología del teatro argentino* he dado razones por las cuales estimo que si bien impulsó el florecimiento de la producción dramática, conspiró, en cambio, contra la originalidad y autenticidad de la misma. La experiencia picadero-escena, en el circo, vista en perspectiva histórica constituyó una revolución dramática, que sólo hoy, en ensayos de vanguardia, se intenta. Abandonarla para pasar a los escenarios "a la italiana" significó uncirse a la tradición europea, frente a la cual autores y actores, si bien perdieron rusticidad, se convirtieron en imitadores.

El paso de los Podestá de las carpas trashumantes a los teatros ciudadanos, en el sentido antedicho, dio ocasión de que nuevos autores trabajaran con posibilidades de llegar al público. Y en orden del género chico, merecen especial recordación, algunos autores que sobre la base de los modelos hispanos, perfilaron un sainete criollo, ya en la etapa poscircense, entre ellos: Enrique García Velloso, José González Castillo y Carlos M. Pacheco.

Enrique García Velloso, autor múltiple, hace sus primeros ensayos precisamente en el género chico y con compañía española. Luego de algunos tanteos poco afortunados, obtiene su primer éxito con *Gabino el mayoral* (1898), que inicia una serie afortunada de piezas reideras. García Velloso practicó todas las modalidades del teatro; sin embargo, su fuerte estuvo siempre en la veta cómica. Su producción cuenta más de ochenta títulos, algunos de los cuales se han de mencionar más adelante.

José González Castillo llegó al teatro hacia 1910, con ensayos de rebelde contenido social. De 1908 es *Luiggi,* drama en tres actos de recia contextura, arranque de una colección de obras —discutidas en su época— de inquieta proyección ideológica, en la cual se señalan: *Los invertidos* (1914), *El hijo de Agar* (1915), *La mujer de Ulises* (1918), *La Santa Madre* (1920), *La zarza ardiendo* (1922) y *Hermana mía* (1935). En el repertorio de González Castillo, todo él de jerarquía, figuran también varias comedias, como *La Purpurina* (1915), *El hombre que se volvió cuerdo* (1921), *Vidalita* (1922), *El error del sabio* (1922), *La sombra del pasado* (1928), etc. Pero, a pesar de ser el suyo uno de los repertorios calificados de la dramática nacional, se recuerda preferentemente a González Castillo como maestro del sainete porteño, no sólo porque dio sus normas en un recordado examen, sino porque supo realzar dignamente esa especie como cuadro realista, pleno de vida, apartándolo de la caricatura, de la "macchietta", que, bastardeándolo, lo subalternizaba. *Del fango* (1907), *El retrato del pibe* (1908), *Entre bueyes no hay cornadas* (1909), *La serenata* (1911), *El salto mortal* (1915), *Aires de la sierra* (1914), *Los muchachos* (1915), *Los dientes del perro* (1918), entre otros, hacen de González Castillo nuestro Ramón de la Cruz.

Carlos María Pacheco, uruguayo, fue, sin embargo, autor netamente nacional y hay quien lo considera —con atendibles razones, al par de González Castillo— nuestro primer sainetero. Casi todas sus piezas son breves, en un acto; en algunas de ellas, aun tratándose de sainetes cómicos, intercala notas de hondo dramatismo, que brindan a sus trabajos hondura y humanidad. Se inició en 1900, con *Blancos y colorados,* tras el cual colocó luego más de un centenar de títulos. *Los disfrazados* es, sin lugar a dudas, uno de sus sainetes

Literatura dramática argentina

más perfectos y sobresale con caracteres netos entre logrados brochazos, como *Música criolla, Don Quijote de la Pampa, La morisqueta final, El pan amargo, Pájaro de presa, Las romerías, El patio de Don Simón, Compra y venta, La ribera,* etc., que advierten la presencia de una pluma responsable, vitalizadora de un momento especial de la dramática argentina.

4. *El teatro de aliento*

En los alrededores de 1884, año de *Juan Moreira*, se registran, como hechos aislados, según se ha visto, los estrenos de algunas obras nacionales por compañías extranjeras. Entre esos autores, por la continuidad de su producción posterior y la gravitación de la misma en la evolución de la dramática criolla, se destacan inicialmente los nombres de Martín Coronado, David Peña y Nicolás Granada, quienes después que *Juan Moreira* señaló a los Podestá como intérpretes adecuados para nuevos elencos vernáculos, se afirmarán en la tarea de impulsar el teatro criollo; labor a la que luego se les unirán, en esos años que llegan hasta 1910, escritores como el ya citado Enrique García Velloso, Roberto J. Payró, Alberto Ghiraldo, Gregorio de Laferrère, Florencio Sánchez, Alfredo Duhau, José de Maturana, Atilio Supparo, José León Pagano, Arturo Giménez Pastor, Julio Sánchez Gardel, Juan J. de Soiza Reilly, Vicente Martínez Cuitiño, Pedro Pico y otros.

Martín Coronado, representante rezagado del romanticismo, revela en sus primeros dramas influjos del teatro español neorromántico y oscila, como López de Ayala, Luis de Larra, Tamayo y Baus, Echegaray y Camprodón, entre temas históricos y los que reflejan la sociedad burguesa contemporánea. Así, entre los primeros, figuran: *Luz de luna y luz de incendio* y *Justicias de antaño*, unos ubicando su acción en la época rosista, otros en la Colonia. Entre los segundos: *La rosa blanca, Salvador, Un soñador, Cortar por lo más delgado.* Luego, seducido por la nota vernácula, con reminiscencia de moreirismo, tentó en *La piedra de escándalo* y *La chacra de Don Lorenzo* (su continuación), *La flor del tambo, Sebastián* y *La vanguardia,* temas mediante los cuales el teatro nacional abandona la pampa bárbara del primitivo mimodrama gauchesco para penetrar en el recinto alambrado de la chacra. Moreira cede al impulso de Calandria: el gaucho desaparece dejando lugar al paisano.

Por *La piedra de escándalo,* por su acción constante en pro del teatro nacional, Coronado es figura consular de la dramática argentina. *La piedra de escándalo,* obra que le granjeó popularidad, en su época la más representada del teatro criollo, sin sacrificar lenguaje ni arte a gustos plebeyos, comportó un triunfo notable al autor y a la dramática criolla el aporte de una verdadera "piedra" angular de su edificio artístico. Como dije antes, con esta pieza, siguiendo las huellas de *Calandria,* reaparecen en la escena argentina los trabajos del campo en sustitución de la lírica vagancia del gaucho; pero, aun bajo este nuevo molde, permanece intacto el culto de la hidalguía, el sentido del honor, herencias evidentes del espíritu español.

En fluidos octosílabos, *La piedra de escándalo* dramatiza la vuelta al hogar de Rosa, muchachita que seducida por un galanteador profesional abandonó a los suyos. El regreso se presenta espinoso, porque choca con la intransigencia fraterna, si bien el abuelo, el padre y el mayor de los hermanos —el verdadero jefe de familia— comprenden su tragedia y la amparan y protegen con todo cariño. En la casa paterna, Rosa se siente como una intrusa y resulta verdadera "piedra de escándalo" cuando reaparece el galanteador a reconquistarla, y quienes bien la quieren lo hieren gravemente.

El conflicto simple y los tipos delineados en bloque, a tono con ese teatro posromántico hispano, con el cual Coronado

Literatura dramática argentina

simpatizó, son retomados veinte años después en *La chacra de don Lorenzo*, continuación de la anterior, y donde con ligeras variantes repite el mismo asunto. Si bien *La piedra de escándalo* fue estrenada en 1902, es necesario advertir que se ha representado desde entonces continuamente y muchos de sus versos, como las décimas del *Estilo* del segundo acto:

> Sobre el alero escarchao
> encontré esta madrugada
> una palomita helada
> que el viento había extraviao.
> Porque es tuya la he cuidao
> con cariño y con desvelo,
> y la cinta color de cielo
> con que venía adornada
> al cuello la tengo atada
> porque es cinta de tu pelo.

fueron popularísimos. Ello explica que, en 1918, *La chacra de don Lorenzo*, manteniendo iguales características, cuando ya sensibilidad y exigencias del público eran otras, alcanzara discreto éxito. En el libro *El teatro romántico de Martín Coronado* he analizado la razón psicológica —fenómeno de psicología de masas— que movió los éxitos de Coronado y he puntualizado la virilidad de una dramaturgia simple, esquemática, pero acorde con los arquetipos requeridos por los espectadores de la época. Cabe insistir una vez más en que *La piedra de escándalo* reacerca a la escena al verdadero hombre de campo; no al gaucho de chiripá y bota de potro, sino al paisano de bombacha y alpargatas, al criollo que se perfila en la última escena de *Calandria* y abre la ruta nueva que transitará una dramática fresca, enriquecida por Nicolás Granada, Roberto J. Payró, Florencio Sánchez y otros; dramática de sabor vernáculo en cuanto a lenguaje, temas, idiosincrasia de sus criaturas, pero menos original en cuanto a formas que los rudimentarios dramas gauchescos del circo, porque los nuevos autores se enganchan a la tradición teatral europea para resolver sus problemas técnicos.

Nicolás Granada, político, militar y periodista, estrena en 1902 *Al campo*, especie de sátira amable que enfrenta la ciudad al campo. Perfila a los hombres de tierra adentro, no a la manera gauchesca, sino con relativa veracidad histórica obediente a la técnica realista que se incorpora a nuestra dramática. El tema de la familia que mejora notablemente de posición económica y social merced al esfuerzo de sus hombres y en cuyas mujeres nace, paralelamente, ambición de lujos y figuración mundana, planteado por Granada en *Al campo*, da origen a una secuela de obras del mismo carácter. Por lo demás, no debe olvidarse que dicho asunto tampoco era original de Granada, porque ya, desde antiguo, venía tratada en la escena española la alabanza de la aldea frente al menosprecio de la corte.

También Nicolás Granada ensayó, anteriormente, el teatro en compañías extranjeras. Un conjunto español le estrenó *Atahualpa*; compañías italianas le representaron *I fiori del morto* e *Il rastro*; pero la verdadera significación de este autor en la historia de la dramática nacional arranca y termina con *Al campo*, pues obras posteriores como *Bajo el parral*, *El minué federal* o *La gaviota*, quizás con más méritos literarios y escénicos, no alcanzaron la repercusión de la anterior.

La década comprendida entre 1900 y 1910, verdadera edad de oro de la escena criolla, coincide con nuevos estremecimientos de la vieja sociedad porteña, de raigambre colonial en su fe cristiana, en su organización aristocrática y patriarcal y su deslumbramiento hacia determinadas corrientes foráneas; estremecimientos debidos ahora a la paulatina introducción y afirmación de ideas sociales avanzadas, sobre todo en el ámbito de los intelectuales y del proletariado.

Literatura dramática argentina

Entre los primeros, ciertos jóvenes literatos y bohemios actúan como corifeos: Roberto J. Payró, Alberto Ghiraldo, Florencio Sánchez, José de Maturana, entre otros, llevan a la escena las nuevas ideas. En el segundo, las doctrinas predicadas por Malatesta o por los primeros socialistas, concretan los pasos iniciales del sindicalismo argentino.

Así en el teatro, los problemas de la lucha de clases, de los conflictos entre capital y trabajo, de la explotación obrera, de la plutocracia, de la explotación de los labriegos por los terratenientes, del latifundismo y el caudillismo, son abordados con más ribetes de utópico lirismo que convicción del posible remedio por redención social, aunque es de hacer notar que el teatro fue —durante las tres décadas iniciales del siglo— resquicio y tribuna donde resonó de algún modo el clamor contra las injusticias sociales. Y fueron los visionarios —algunos famélicos— del *Café de los Inmortales* o los bohemios elegantes del *Aus's Keller* —agréguense los nombres de Manuel Gálvez, Ricardo Rojas, Charles de Soussens, Alberto López, Ortiz Grognet, José Ingenieros, Alberto Gerchunoff, Folco Testena, José A. Saldías, Antonio Monteavaro, Joaquín de Vedia, Carlos Vega Belgrano, Emilio Becher, Mario Bravo, Atilio Chiappori, etc.— quienes en materia de literatura y, particularmente, de arte dramático, estaban atentos a las menores innovaciones que registraba el arte europeo y ensayaban trasplantarlo a nuestro medio.

Juega papel preponderante en esta década singular de la historia de la dramática argentina, Roberto J. Payró. Periodista cargado de ideales, novelista excepcional que logra con sus *Cuentos de Pago Chico* y *El casamiento de Laucha* configurar una picaresca criolla, se inició en el teatro con *Canción trágica* (1900), drama en un acto de tema histórico, al que siguió *Sobre las ruinas* (1904), drama en el cual presenta la oposición entre dos criterios de vida: uno, sustentado por don Pedro, viejo paisano aferrado a ideas vetustas y procedimientos caducos, negador sistemático de toda innovación;

103

otro, por don Martín, hombre de campo, sí, pero abierto —aun conservando los sentimientos tradicionales— a nuevas ideas y métodos, al progreso. Tiende en sus tierras prolijos sistemas de riego y cuando sobreviene la inundación fatal, que arrasa la vivienda del indolente don Pedro, su casa y campo no se ven perjudicados, porque las aguas fluyen a través de los canales.

Un año más tarde, 1905, Payró dio a la escena *Marco Severi*, drama con el que se perfila —si se permite la expresión— el teatro argentino de tesis. *Marcos Severi*, inspirado en cuestiones planteadas por la llamada Ley de Residencia, en ese momento debatida en la Legislatura, y quizás teniendo presentes algunos fallos del juez Magnaud, trata el caso de un hombre que en difíciles circunstancias, como único recurso para sostener a la madre enferma, delinque en Italia. Consigue huir de su patria y se radica en Argentina; cambia de nombre y se instala con una pequeña imprenta. Forma un hogar y gana prestigio de persona honrada. Es noble, generoso; trata a los obreros magnánimamente, los asocia a su negocio y a las ganancias. La fatalidad quiere que un día se descubra su pasado y la justicia tome cartas en el asunto, destruyendo con la fría aplicación de una ley discutible toda una vida laboriosamente reconstruida. Se está, pues, frente a un caso de conciencia judicial al cual la ley no encaja; un caso como los que resolvía aquel discutido juez francés.

Payró, no obstante el papel preponderante que le cabe en una historia de la dramática nacional, no fue un auténtico hombre de teatro; de ahí que sus obras se resientan de marcado carácter expositivo y literario y que, muy de tarde, haya tentado la escena. Pero su personalidad hondamente significativa en las letras argentinas, prestigia, aun con los aportes esporádicos, estas décadas del teatro nacional.

Después de *Marco Severi*, la producción dramática de Payró sufre largos paréntesis. Luego, en 1923, estrena

Literatura dramática argentina

El triunfo de los otros, tragedia del periodista que escribe para el bien de los demás mientras pasa hambre y sinsabores. Casi diez años han transcurrido después de sus triunfos con *Sobre las ruinas* y *Marco Severi*; diez años sin que Payró, ausente del país, haya sido recordado en la escena. En 1924 estrena dos comedias: *Fuego en el rastrojo* y *Vivir quiero conmigo*, las que —con algunos sainetes y el drama *Alegría*, estrenado una semana después de su muerte— completan la producción dramática de Payró.

Alberto Ghiraldo, el de "la juventud de fuego en la militancia por la redención social", llevó a las tablas hondos problemas de obreros explotados, de seres injustamente acosados, de pueblos oprimidos, de campesinos sacrificados por inicuos terratenientes, de injusticias sociales, de politiquerías, caudillejos y fraudes. Se inició en el teatro, en 1906, con *Alma gaucha*, duro alegato contra el militarismo que promovió adhesiones y polémicas. Y luego escribió *Los salvajes*, *La columna de fuego* —primera presentación escénica del problema del sindicalismo—, *La copa de sangre*, *Doña Modesta Pizarro*, *Alas*, *La cruz*, *El café de mamá Juana*, *Resurrección*, *Se aguó la fiesta*, que marcan los títulos originales de su discutido repertorio.

De Enrique García Velloso algo se ha dicho al hablar del género chico. García Velloso fue animador constante del teatro criollo durante casi cuarenta años y su nombre está particularmente unido al de brillantes temporadas, obras y compañías, que señalaron momentos estelares de la dramática vernácula.

Jesús Nazareno, su primer dramón gauchesco, *Caín*, *Fuego fatuo*, *Las termas de Colo-Colo*, *El zapato de cristal*, *Marta Zibelina*, *La victoria de Samotracia*, *Los amores de la Virreyna*, *El tango en París*, *Fruta picada*, *Eclipse de sol*, *Mamá Culepina*, son algunos de los títulos del centenar de piezas que forman su producción, tan abundante como dispar. García Velloso era un repentista; no corregía ni pulía sus trabajos. En ocasión del estreno de *Marta Zibelina,* la producción número cincuenta, dijo el crítico Juan Pablo Echagüe "que, a su tiempo, la crítica depuraría la producción de Velloso, pero es permitido alabar, desde luego, el esfuerzo prolongado y fecundo de este laborioso escritor, a quien nuestra historia literaria ha de recordar como a uno de los más valientes y meritorios 'pioneers' del arte argentino".

David Peña se estrena en la escena con un drama en verso que escribió —según propias declaraciones— por el interés de una apuesta. *¿Qué dirá la sociedad?* —tal su título— fue representada en 1883, vale decir antes del mimodrama *Juan Moreira,* y la acción transcurre en los salones de una aristocrática familia porteña. Como obra primigenia es de endeble factura; pero constituyó un éxito personal, al que contribuyeron una serie de factores, entre los cuales cuentan el lugar de la acción, familiar a los espectadores y desusado en nuestros escenarios; los personajes, de idiosincrasia próxima a la del público; el problema, auténticamente local; y, por último, el anhelo general de ver cristalizada una dramática propia, según se ha visto anteriormente.

Dos años después Peña insistió con otro drama en verso: *La lucha por la vida.* Estrenado en 1885, no obtuvo el éxito que era de esperar. La razón del fracaso pudo estribar en lo ingenuo de su idea central, deducible de los versos finales:

> ...al que es bueno, Dios lo ampara
> en la lucha por la vida.

Dieciocho años transcurren antes que David Peña vuelva al teatro. Pero, cuando en 1903, estrena *Próspera,* inaugura una segunda época en su producción, con nuevas características, mayor sentido teatral y vigor en las estructuras dramáticas. *Próspera* es obra de intención política y el propio autor manifestó que fue escrita para servir los intereses de un partido. Se recuerda a *Próspera*, también, porque sirvió para introducir en la vida teatral argentina a esa gran actriz que fue Angelina Pagano, quien llegaba a Buenos Aires luego de actuar en la escena italiana junto a Eleonora Duse.

Peña ensaya en 1904 el drama patológico *Inútil*, pieza característica de la modalidad practicada en Francia por De Lorde y Binet, y aquí también, por el médico psiquiatra Gonzalo Bosch. *Inútil* pasó sin pena ni gloria, a pesar de haber sido interpretado por la Pagano.

La tercera época en la producción dramática de Peña lo presenta como propulsor del drama histórico argentino. Ensayos teatrales de contenido histórico se habían realizado constantemente en la escena criolla. Cada vez que alguien se proponía fomentar la dramática nacional, parecía inevitable el hacerlo con una pieza histórica. Morante, Henríquez, Echagüe, los proscriptos románticos, Lacasa, Juana Manso de Norohna, Fernández, Coronado, entre otros, habían ensayado la veta con anterioridad. Sin embargo, a David Peña se ha de considerar el verdadero creador del teatro histórico argentino, por la continuidad de su esfuerzo en ese campo. Por otra parte, una serie de piezas históricas fueron el medio que le permitió llevar a escena relevantes personajes del pasado patrio.

A manera de biografías dramatizadas, la serie se inicia en 1906 con *Facundo*. La figura del caudillo riojano, trazada con tintas oscuras por Sarmiento en el famoso alegato homónimo, tuvo en Peña un reivindicador. No sólo en el escenario; también en el periodismo y en la cátedra, pues poco antes del estreno de *Facundo*, Peña había dictado un curso sobre Quiroga en la Facultad de Filosofía y Letras de Buenos Aires, como profesor de Historia Argentina.

A *Facundo* siguen: en 1909, *Dorrego*; en 1917, *Liniers*, y, en 1924, *Alvear*. David Peña escribió muchas otras piezas, en prosa y verso: *Un loco* (1911), *Un cuerpo* (1912), *Una mujer de teatro* (1921), *La madre del cardenal* (1923), *Don Félix de Montemar* (1923), *Un tigre del Chaco* (1926) y *El embrujo de Sevilla* (1927), versión de la novela del uruguayo Carlos Reyles; pero, por sobre todo, como ya lo he dicho, Peña debe ser considerado el animador por excelencia del teatro histórico argentino, verdadero creador de esa modalidad teatral que —desaparecido Peña— no ha vuelto a alcanzar el vuelo que él le diera.

En las primeras piezas, frente a la popularidad del picadero y del gauchismo, Peña presentó personajes y ambientes de la ciudad. Conocía el gran mundo y frecuentaba familias de pro, que en sus obras llegan a la escena, ofreciendo las perspectivas finiseculares de lo que podría catalogarse como una clase media alta. Siguiendo sus pasos, pero aproximándose más, con ánimo burlesco, a una burguesía en crisis, Gregorio de Laferrère inicia —con intención satírica— la comedia de ingenio, la comedia de costumbres (de malas costumbres, si se quiere) ciudadanas.

Laferrère era un desaprensivo. Hizo teatro con la misma elegante despreocupación con que compartía su vida entre el ocio del club mundano y la agitación del comité político. Él mismo ha confesado que su experiencia teatral fue algo así como una travesura. Sin embargo, de esa travesura han surgido algunas chispeantes comedias, en las cuales el ingenio va unido a la suave intención satírica y a la penetrante observación del medio.

En 1904, la primigenia *¡Jettatore!* presenta, inspirada en páginas de Gautier y en propias credulidades, la supersticiosa creencia de atribuir a determinada persona influjo maléfico. A ésta siguió *Locos de verano*, donde ya el título deja entrever otra risueña consideración de las pequeñas manías que todos, inevitablemente, padecen. Con *Los invisibles*, burla no muy convincente de prácticas espiritistas, se completa la trilogía de estas comedias ingeniosas, epidér-

Literatura dramática argentina

micas, particularmente significativas en la evolución de la dramática argentina, sólo interrumpida por la nota seria del drama *Bajo la garra*, esbozo que revela menor aptitud para el llanto que para la sonrisa; y por la magistral comedia *Las de Barranco*, precursora de la cuerda grotesca en el teatro nacional.

El teatro gauchesco evolucionado y el teatro de la urbe, en el ambiente de la clase media y de las gentes humildes, confluyen en la pluma de Florencio Sánchez, escritor uruguayo que estrena sus obras en Buenos Aires.

Sánchez, militante político de ideas avanzadas, periodista, hombre de no abundante cultura, está impregnado de literatura ácrata; su sentido estético no va más allá de Emilio Zola; pero compensó tales elementos con innata intuición teatral, que le llevó a plasmar dentro de la línea realista-naturalista contrastada dramática, de seguros efectos escénicos.

Una vida atormentada por la angustia de crisis psicofisiológicas —nunca la pretendida miseria—, y un particular sentido del teatro determinan que su aparición en la escena porteña marque una nota distinta y de importancia.

Luego de haber dado a conocer en provincias alguna obra de escaso valor, consigue estrenar, en 1903, *M'hijo el dotor*, que resultó un acontecimiento en el mundillo de la farándula. Los periódicos le dedicaron extensas notas, aunque algunos críticos, claro está, no dejaron de señalar los evidentes defectos que advertían en la pieza.

M'hijo el dotor expresa el conflicto entre dos maneras de entender la vida, entre dos morales. Julio, hijo del criollo don Olegario, se ha educado en la ciudad y vuelve al terruño, ajeno ya a sus tradiciones, con nuevas costumbres y nuevas convicciones. Su manera de ser choca con la del padre; el malentendido se torna rencor y querella, cuando se sabe que Julio ha seducido a la ahijada de don Olegario. Este asunto de *M'hijo el dotor* reconoce antecedentes en *Casa paterna,* de Suderman; en *Blanchette,* de Éugene Brieux y hasta en *Le due coscienze,* de Rovetta. No obstante, constituyó una nota diferente en la dramática rioplatense por el tema, las ideas y el realismo con que fue tratado.

M'hijo el dotor identificó a Sánchez con el quehacer teatral; en 1904, estrenó *La pobre gente,* inferior a la anterior, y, a fines del mismo año, volvió por sus fueros al presentar *La gringa,* obra de ambiente rural, una de las mejores de Sánchez. El problema de *La gringa* —que en otro plano había sido observado por Roberto J. Payró en *Sobre las ruinas*— tiene algo de alegoría, de himno al porvenir de la raza nueva que surja del cruce de inmigrantes y nativos; pulsa la corriente inmigratoria europea dispersa por el país en su esfuerzo constructivo, en el choque del cosmopolitismo con los viejos troncos criollos, arraigados en prejuicios y prácticas ancestrales.

En 1905, Sánchez estrena *Barranca abajo,* vigoroso drama donde presenta a un criollo perseguido por la fatalidad. Lo despojan de sus bienes, la familia le acosa con continuas discordias, su hija es deshonrada; todos le abandonan y el viejo Zoilo decide concluir voluntaria y trágicamente sus días. *Barranca abajo* es obra de madurez y —por el soplo de tragedia que alienta en ella— cuenta entre las obras perdurables de Sánchez.

Posteriormente, estrenó *Los muertos* (1905), drama; *El pasado* (1906), comedia; *En familia* (1906); *Nuestros hijos* (1907), comedia; *Los derechos de la salud* (1907), comedia; *Un buen negocio* (1907) y algunas piezas menores. Observada en conjunto esta producción, desde la perspectiva y sensibilidad actuales, se deduce que en ella no vibra la cuerda declamatoria. Las obras más melladas por el tiempo son aquellas en que Sánchez diserta teorías y tesis; en cambio, aquellas en que las ideologías son vividas y realizadas por los personajes, más que declamadas por el autor, conservan vitalidad escénica, aun cuando asuman carácter documental, circunstanciado en época y ambiente, y que, por lo tanto, aparezcan distantes de los gustos actuales, de los conceptos modernos de teatro.

Algo de ello ocurre con el teatro menor de Sánchez. Piezas como *Canillita, Mano Santa, El desalojo, El conventillo, Moneda falsa, El cacique Pichuleo* y *Marta Gruni,* entre otras, se representan hoy en mucho menor escala. Pagan el duro tributo de estar embebidas de la actualidad de los años que van entre 1903 y 1909, del presente efímero de los días en que nacieron; pagan el duro precio de que al quedar atrás lo que en un determinado momento fue lo actual, hoy sólo pueda ser recuperado por vía arqueológica; vía en la cual las piezas menores de Sánchez son auténticos documentos. Sánchez, sobreviviente en la trilogía perdurable de *La gringa, Barranca abajo* y *En familia,* como gestor de una valiosa dramaturgia rioplatense, fue también buen sostenedor de una sainetería, que lo denuncia como dotado creador, porque en sus piezas menores la técnica se conserva flexible, la savia corre vital; los diálogos poseen dinamicidad, don elíptico y sugerente de la realidad, de la más sabrosa fuente coloquial popular. Pero son los tipos, los detalles captados fotográficamente, los que el tiempo cambió; son los ambientes que se han ido transformando. Es el presente endurecido, insensibilizado para muchas cosas que indignaron a Sánchez; para muchas de las injusticias sociales a las cuales él se mostró tan sensible como rebelde.

El 7 de noviembre de 1910, en Milán, falleció Florencio Sánchez, minado por la tuberculosis. Por hombre de su tiempo —dice de él Luis Ordaz—, su producción respondió a las corrientes naturalistas europeas tan en boga y su teatro y su vida se vieron inquietados por un nihilismo lírico y apasionado. "Su obra nos dice de su concepto rebelde de la vida, de los hombres, de la sociedad. La crítica fue amarga, a veces despiadada y cruda, como correspondía al sentido y expresión literarios de la época en que imperaban Gorki, Zola e Ibsen, al lado de los grandes ideólogos. Y si bien no fue un estilista, en lo que el término tiene de académico, su obra posee estilo y denuncia una firme personalidad."

Uruguayo, incorporado a la actividad intelectual bonaerense —como Pérez Petit, Aróstegui, Moratorio, Sánchez, Martínez Cuitiño, Pacheco, Facio Hebequer, los Podestá—, Alfredo Duhau presenta un nutrido repertorio dramático que refleja, como el de David Peña, ambientes aristocráticos o burgueses. Su primera obra, *Honoria Blanchard*, data de 1890 y fue representada en italiano —así vieron estrenadas, también algunas de las suyas: Peña, Granada, Onrubia— por la compañía de A. Falcone. A ella siguieron: *El hijo legítimo* (1898), *Los cuatro garabatos* (1911), *La murmuración pasa* (1914), *La dote* (1915), *Divorciópolis* (1916), *El mandato divino* (1916), *En la tiniebla* (1916), *Las tarjetas de pésame* (1917), *La abogada Mochales* (1917), *Sábado inglés* (1918), *Isabel* (1918), etc.

No puede quedar fuera de esta nómina de autores orientales que estrenaron en Buenos Aires, Ernesto Herrera, bohemio como Sánchez y también, como éste, "nacido con óptica de teatro". *El león ciego* (1912), *La moral de Misia Paca* (1912), *El pan nuestro* (1914), son sus principales obras, de intenso realismo, amasadas con sustancia humana. Tampoco puede ser omitido en esta nómina uruguaya, Atilio Supparo, vinculado a José J. Podestá cuando éste actuaba en el Teatro Doria, y, luego, director artístico de numerosas compañías nacionales. Escribió y estrenó en Buenos Aires: *Taco, suela y punta* (1906), *Al magnesio* (1906), *Mientras los patrones duermen* (1920), *Paula en Buenos Aires* (1936).

En la década 1900-1910, considerada con justa razón gran momento de la escena criolla, se inician otros autores, algunos de los cuales desaparecerán tempranamente, como José

Literatura dramática argentina

de Maturana y Julio Sánchez Gardel; otros, poco a poco, se alejarán de la escena cuando sobrevenga —pasados los años de la primera guerra mundial (1914-1918) y como reflejo de ésta— el auge del plebeyismo; así Juan J. de Soiza Reilly, José León Pagano y Arturo Giménez Pastor. Los más, como Alberto Vaccareza, Pedro Pico y Vicente Martínez Cuitiño, seguirán bregando con tesonero afán hasta casi mediar el siglo, ya claudicando tras una modalidad de éxito populachero, ya procurando alzar el prestigio de la dramática nacional, que tras los días de la primera guerra mundial comenzará a decaer lamentablemente.

José de Maturana, poeta, bohemio y anarquista, acercó a la escena algunas obras de aliento: *El campo alegre* (1908), *La flor del trigo* (1909), *Canción de primavera* (1912), este último especie de poema rústico en tres jornadas, en el que el autor volcaba su romántica rebeldía en estrofas que idealizaban el ambiente y estilizaban el carácter de los personajes". Al publicar la revista teatral *La Escena* en su número 20, *El campo alegre*, decía su director que Maturana "no ha encontrado aún el biógrafo que estudie con detención su obra teatral... Y sin embargo, todos están convencidos de que su paso por la escena criolla fue provechoso para las letras nacionales..." Hoy, a medio siglo de su formulación, estos conceptos tienen la misma vigencia: la obra de Maturana no ha sido aún orgánicamente estudiada. Sus piezas en verso —con vigor lírico y militancia social— son las que reflejan más vivamente su personalidad de inadaptado.

El repertorio de Maturana comprende, además de las antes citadas, las siguientes obras: *¡Qué calor con tanto viento!*, sainete en verso; *La flor silvestre* y *Canción de invierno*, poemas dramáticos.

Julio Sánchez Gardel, que llegaba de su lejana provincia norteña a doctorarse en leyes en la urbe del Plata, pronto olvida códigos y pandectas para entregarse a la literatura, frecuentando redacciones y cenáculos. En 1905 estrena *Almas grandes,* drama en dos actos, de promisoria significación. Una comedia: *Cara o cruz*; dos dramas: *En el abismo* y *Ley humana,* y dos sainetes líricos: *La garza* y *La vendimia,* constituyen una endeble producción hasta el año 1907, en que estrena *Noches de luna,* pieza con ligeros toques autobiográficos, donde ya se preanuncia la característica definitiva del teatro de Sánchez Gardel: el costumbrismo, la nota regionalista. Luego, *Los ojos del ciego* y *Las campanas* acentúan esos rasgos, que adquirirán cabal y definida expresión en comedias posteriores como *Los mirasoles, Después de misa, Claro de luna* y otras.

El repertorio de Sánchez Gardel —que adjudica, por la pureza de recursos empleados, especial dignidad a la dramática nacional— cuenta también con dos tragedias que, en su tiempo, promovieron sendas polémicas: *La montaña de las brujas* y *El zonda*.

La caracterización del teatro de Sánchez Gardel, regionalista y costumbrista, concebido en Buenos Aires con el recuerdo y la emoción puestas en la patria chica, obliga en un ensayo como el presente, que pretende abarcar una dimensión nacional, a particularizar un fenómeno que prácticamente afectara al teatro argentino durante el primer cuarto del siglo xx: los autores provincianos se desarraigan, atraídos por Buenos Aires. La producción regionalista se hace desde la capital. Los elencos porteños en jira llevan teatro a las provincias, pero el deslumbramiento del triunfo en Buenos Aires anulará la vida teatral propia de provincias y ciudades del interior. Contados serán los autores que se realicen en su lugar natal y entre éstos tal vez sea del caso recordar aquí a Julio Carri Pérez, cordobés, quien estrenó en la ciudad "docta": *Tierra firme* (1913), comedia, y *Salamanca* (1913), drama, y cuyo repertorio, además de las piezas citadas, comprende los siguientes títulos, todos estrenados en

Literatura dramática argentina

Córdoba: *Una broma del virrey, Fluido vitae, El remanso, Fuerzas que chocan, La familia veranea, La guitarra y los doctores.*

También provincianos fueron Juan José de Soiza Reilly, entrerriano, y Enrique de Villarreal, tucumano. El primero, periodista con habilidad para las notas atractivas o sensacionalistas, dio a la escena piezas que en su época suscitaron polémicas y hasta serios tumultos, como *Hizo bien* (1911), comedia en un acto; *Los amores de mi marido* (1911); *Tres* (1911); *La vida de Cristóbal Colón* (1916); *Argentinos en París* (1916), y *La mujer y el lobo* (1927). Enrique Villarreal, autor de la "primera hora" en la década de oro, estrenó *Los pobres bueyes, La moral ajena, Un criollo que no hizo patria, El dolor ajeno* y *Por la voluntad del pueblo*. Tanto Villarreal como Soiza Reilly, llevados por su profesión de periodistas, se alejaron de la creación dramática.

Como ellos, José León Pagano, figura señera de la dramática argentina, entregó al teatro afanes juveniles. Luego, calló por muchos años, hasta que en su ilustre vejez tornó a los amores primeros con renovados bríos. Dramaturgo, catedrático universitario, crítico e historiador de arte, Pagano puso la nota intelectual en la escena porteña. Lector culto y sensible de las novedades teatrales europeas, supo aplicarlas a nuestro teatro sin menoscabo de su personalidad y originalidad. A él se deben piezas de tesis, como *Los astros*; psicológicas, como *Nirvana*; costumbristas, como *El secreto de los otros*.

Su repertorio, siempre de elevada tesitura, alcanza numerosos títulos además de los citados, entre los que se cuentan: *Almas que luchan, La ofrenda, El halcón, El sobrino de Malbrán, Blasón de fuego, El tío Diego, ...Y Dios dispone*.

Durante bastante tiempo, José León Pagano se alejó por completo de la escena, al comprobar la industrialización del teatro criollo, y se consagró exclusivamente a la docencia y a su labor de crítico e historiador; pero, en los años postreros de su vida, volvió a las antiguas inquietudes, componiendo obras teatrales de depurado intelectualismo, como *La venganza de Afrodita*, *El espejo invisible*, *El día de la ira* y *El rubí encendido*.

Algo semejante ocurrió con Arturo Giménez Pastor, catedrático universitario, quien inició su producción, en 1906, con *La rendición*, proseguida, luego, con *El rival de Lamartine* (1906); *Ganador y placé* (1907), pieza costumbrista presentada y premiada en un curioso concurso dramático, en el que se daba a los participantes un título elegido al azar, sobre el cual debían abordar un tema; también de 1907 es *La muerte del protagonista* y, de 1912, *La mancha*, a las que siguieron: *Luz de sombra*, boceto de tragedia, como acertadamente la denominó Juan P. Echagüe; *La prueba de fuego* (1919) y *El eterno masculino* (1919). Entre los papeles póstumos de Giménez Pastor quedó la comedia histórica: *El teniente coronel Fray Luis Beltrán*.

Giménez Pastor se perfilaba, a comienzos de siglo, como uno de los autores mejor dotados para la técnica del drama de alta jerarquía. Sin embargo, como José León Pagano, al vislumbrar el equivocado camino que tomaban las actividades escénicas porteñas, transformadas en "negocio", se alejó definitivamente de ellas.

Vicente Martínez Cuitiño, uruguayo, radicado en Argentina, era uno de los más fecundos comediógrafos rioplatenses. Desde el 22 de junio de 1908, cuando la compañía de José J. Podestá estrenó *El único gesto*, en medio siglo de actividad teatral, vigilante a toda innovación en el orden artístico, suman sus obras densos volúmenes, que abarcan las más variadas expresiones dramáticas, realizadas con probidad estética y limpieza de intenciones. *El derrumbe*, *Rayito de sol*, *Los*

Literatura dramática argentina

tiranos, El ideal, Notas teatrales, Mate dulce, El malón blanco, Los Colombini, El caudillo, La bambolla, La fuerza ciega, La humilde quimera, Nuevo mundo, La fiesta del hombre, Cuervos rubios, No matarás, Los soñadores, El segundo amor, La mala siembra, La rosa de hierro, El amor ausente, Diamantes quebrados, Noche del alma, Horizontes, El espectador, Atorrante, Superficie, Servidumbre, El hombre imperfecto, etc., son algunos de los títulos de un abundante repertorio, sin abdicaciones ni concesiones.

También se inició en esta década Pedro E. Pico, maestro del diálogo, fino pintor de costumbres y caracteres, que supo impregnar sus creaciones de delicada ternura y trasuntar en todas ellas esencia genuinamente poética. En el teatro de Pico como en el de Martínez Cuitiño —ambos con larga nómina de títulos— hay muy buen número de piezas de antología, prueba de la vocación y contracción al estudio que volcaron sobre el oficio de sus afanes. Desde *La polka del espiante,* sainete estrenado en 1901, pasando por *A falta de pan..., Pueblerina, La novia de los forasteros, ¡Ciego!, Del mismo barro, Ganarse la vida, La luz de un fósforo, Mater dolorosa, Usted no me gusta, señor, Pasa el tren, Ruega por nosotros, La solterona, Caminos en el mar, Querer y cerrar los ojos, La verdad en los ojos, ¡Caray, lo que sabe esta chica!, Yo no sé decir que no, Las rayas de la cruz, Agua en las manos,* hasta la póstuma *Novelera* (1948), entre otras, pasan del centenar las piezas que integran su producción, toda ella de limpia concepción y jerarquía artística, aunante de valores literarios y dramáticos, de fina observación y cargada de humana vibración.

VIII. Evolución y decadencia (1910-1949)

1. *La declinación*

Tras la década inicial del siglo, años de brillo para la dramática nacional, se registran algunos fenómenos significativos. La actividad teatral, en el lapso 1910-1930, es intensa, pero casi exclusivamente porteña. Lo nacional es, en el teatro, lo de Buenos Aires. Sin embargo, en otros órdenes artísticos —literatura, pintura, música—, se observa la apertura hacia la nación, a través del despuntar de la vida intelectual en provincias y de la meditación del ser de lo nacional —Rojas, C. O. Bunge, Joaquín V. González, etc— en las cabezas pensantes del país.

Otro fenómeno es la predominante identificación del teatro con la diversión, antes que con el arte. Intensa demanda de obras entretenidas convierten a la dramática argentina en una colección de títulos; al punto tal que si se pudiera inventariar las piezas escritas en los primeros treinta años del siglo xx, la literatura dramática estaría entre las más prolíficas del mundo; no, por cierto, entre las de repertorio de más alta calidad.

El año 1930 marca la quiebra total de la Nación, en lo político, en lo económico, en lo social. La relativa coherencia de la sociedad argentina, registrada entre 1880 y 1930 —evidente apoyo para el fructificar de una dramática nacional, puesto que sólo crece un teatro nacional ante una sociedad coherente, unida y vigorosa—, también se quiebra. Y la creación dramática, a partir de 1930 y, prácticamente hasta 1955, entra en una zona oscura de decadencia, bastardeamiento y negatividad, semejante a la que atraviesa toda la vida argentina.

Entre 1910 y 1949, lapso que limita este capítulo, se observan dos grupos definidos entre los autores teatrales: los que escriben teatro sin pretender vivir de él, con sentido del valor artístico y social de la dramática, de su significación en la historia de la cultura nacional; y los que hacen del teatro un *modus vivendi*, que explotan con fortuna económica todos los recursos de momentáneo éxito sin parar mientes en el mal que le causan, sin reparar en que van secando las entrañas de una "gallina de huevos de oro", sin preocuparse de la misión trascendente de la escena. Los primeros pueden denominarse *mantenedores* del prestigio de la naciente dramática criolla y, entre ellos, cabe deslindar grupo de *renovadores* y de *autores nuevos*. De los segundos... ¿para qué hablar?...

Cumplida la primera y brillante década del siglo xx en el quehacer dramático argentino, la guerra mundial (1914-1918) repercute en el teatro a través de una serie de crisis, tanto de orden económico, político como artístico. Las salas, semidesiertas durante algún tiempo; la opinión pública dividida, según los bandos bélicos europeos; la dificultad de eludir temas candentes; el "neutralismo" y la inquietud política que acompaña a la primera presencia de un gobierno radical en el país; las persecuciones contra el proletariado, culminadas en la "semana trágica" de 1919; la polarización de la intelectualidad porteña, desde 1922, entre los grupos de "Florida" y de "Boedo": todo contribuye a entorpecer la marcha del teatro.

En las salas porteñas reaparece el espectáculo breve, el "teatro por horas", por secciones. Las compañías se desdoblan; surgen del anonimato actrices absorbentes que presu-

Literatura dramática argentina

men de dueñas de la escena y no toleran a su vera talentos que les hagan sombra; actorcetes de mala muerte se transforman en "capo-cómicos"; empresarios inescrupulosos expolian a los autores; escritores, urgidos por la necesidad de renovar semanalmente dobles carteleras, descuidan la calidad de sus engendros con la mirada puesta en la taquilla.

Al auge del "capo-comiquismo" se suman las modas, que nacidas de un recurso explotado una vez con éxito en determinado escenario, es imitado hasta el cansancio, y sin escrúpulos, en todos. Así, la aparición del "conventillo" como típico escenario de conflicto de arrabal, con tipos extravagantes y caricaturescos, generalmente extranjeros: italianos, gallegos, turcos, judíos, ridiculizados en léxico y rasgos exteriores; de compadres y taitas y palomas, determina una plaga de "conventillos" en la escena porteña.

Una pieza triunfa, por llevar la acción a un *cabaret*: inmediatamente se multiplicarán los *cabarets* en los teatros de Buenos Aires. El actor Enrique Muiño, por haber participado en aquella pieza inicial, recordó en sus *Memorias* esta plaga, con las siguientes palabras: "En abril de 1918 subió a escena la obra de González Castillo y Weisbach, *Los dientes del perro*. Alippi presentaba la obra por todo lo alto y fue ésta la primera vez que en un escenario se ofreció un *cabaret* con orquesta típica en escena. Desde ese día, por siete años, todos los teatros de Buenos Aires —raro esto de la imitación ¿no?— tuvieron *cabarets* y orquestas típicas. *Los dientes del perro* nos cansamos de darla. El boletero veía hasta diez veces al mismo cliente desfilar ante sus rejas..."

Lo mismo sucedió cuando a alguien se le ocurrió desfigurar el lenguaje cotidiano, persiguiendo un discutible efecto cómico al intercalar apellidos con fonética aproximada a los términos sustituidos. Véase el siguiente parlamento de *El conventillo de la Paloma*, sainete de Vaccareza que alcanzó más de mil quinientas representaciones consecutivas en los días de su estreno, y que posee el *record* de haber sido la pieza argentina más representada:

> Conejo. — ¡Qué sé Llorca!... Hace como tres Mezzadri que la anda Buscandiotti y no la puede Trovesky.
> Miguel. — Entonces es Segura que se Azcondoosky.
> Conejo. — ¡Vaya a Saavedra!...

Alberto Vaccareza, iniciado en el teatro serio en 1904, con obras de enjundia, se constituyó en usufructuario de esta sainetería cosmopolita; pero en la continua reedición de los mismos recursos mató un legítimo filón de la dramática vernácula.

El género chico, entre 1910 y 1930, se desvirtúa comercialmente bajo la razón de éxito nacida de los triunfos de Vaccareza. Entre la infinidad de títulos de su repertorio había dado el arquetipo en *Tu cuna fue un conventillo*, estrenado en 1920, piececilla que proporcionó un molde, repetido ilimitadamente por los comerciantes del teatro y hasta por su mismo autor. Si se compara, por ejemplo, la estructura de *Tu cuna fue un conventillo* con *El conventillo de la Paloma*, compuesto una década más tarde, se hallarán en este último, situaciones reiteradas, repetición de tipos y recursos; al punto tal, que el segundo cuadro de ambos sainetes acusa el mismo remate; varios pasajes caricaturescos repiten el truco de enseñar una declaración amorosa, en lunfardo, a un italiano encargado de conventillo; en ambos, el antagonismo entre españoles e italianos es idéntico, así como el apronte aparatoso de los guapos. Pero, *Tu cuna fue un conventillo* posee —y aún las conserva— frescura de la espontaneidad y gracia del ingenio, que encontraban expresión exacta y risueña; admisibilidad de recursos que en 1920 eran casi novedosos, pero que una década después ya estaban marchitos y lindantes en lo burdo.

Alguna otra relación cabe apuntar, en estos pormenores que atisban los factores de la declinación, entre el mundo de la sainetería concerniente a pintoresquismos arrabaleros y el ámbito de lo gauchesco literario. Así como —a través del proceso donde intervinieron por igual la imaginación de los folletinistas románticos y las simpatías que se despiertan en las masas latinoamericanas por quienes se alzan en rebeldía contra el orden vigente o por los perseguidos— el delincuente Juan Moreira se transformó en ser legendario que acuñó toda una familia teatral de gauchos heroicos y retobados; del mismo modo, frente al sainete, se observa un proceso paralelo en el cual los tipos humanos de taitas y compadres —marginados, originalmente, por la sociedad normal— se convierten, por obra de la simpatía popular hacia los desclasados o hacia los que hacen profesión del coraje, y por obra de las arbitrariedades imaginativas de los saineteros, en especie de paradigmas equivalentes a los del ciclo gauchesco, con variantes análogas a las que les asignó Sarmiento en *Facundo*: gaucho malo, gaucho cantor, baqueano, rastreador, etc. Así, en el sainete de los años que van entre 1910 y 1930, también se encuentran el compadre matón, el compadre matrero, el compadre florido y verseador, el compadre noble, etc.

Tu cuna fue un conventillo es quintaesencia de ese proceso, que podría considerarse, por una parte, como literario-social; por otra, como explotación hasta las últimas posibilidades de su eco en la sensiblería populachera de ambientes y tipos, cuya reiteración terminará por agotar la especie en poco menos de una década. *Tu cuna fue un conventillo* linda con la perfección del proceso; de ahí su conversión en fórmula, en receta, repetida luego al infinito. Desde el ambiente —el infaltable patio de un inquilinato suburbano—, pasando por los tipos: paloma, gavilanes, caricatura de gringos; siguiendo por el inevitable conflicto entre un compadre malevo, que se quiere "alzar" con la Paloma, y el compadre noble que la defiende corajudamente; alternando con el enfrentamiento equivalente —en caricatura— de gringos remedadores de los guapos (como en el teatro gauchesco remedaban a gauchos y paisanos en ridículas novatadas); hasta concluir en el lenguaje, que se vuelve lunfardo artificioso, de convencionalismo en connivencia, no con el bajo fondo o el hampa, sino con las letras de tango. Todo ello integra la síntesis de la receta inevitable, cuyo abuso liquidó al género chico porteño.

A Alberto Vaccareza hay que reconocerle el talento de haber sabido compaginar en sus piezas breves toda una corriente teatral, la cual entendió que los caricatos de los escenarios porteños eran prolongación de los primitivos payasos y clowns del picadero circense; corriente aún en vigencia a través de ciertos personajes de la radiofonía o la televisión. Lo malo del caso radicó en que tales caricatos, convertidos en "capo-cómicos" jamás tuvieron la menor idea de su origen y presumieron de artistas dramáticos.

A tal compaginación Vaccareza añadió, además, facilidad de versificador fluido, habilidad para la definición sintética —con un plumazo— de un hecho, un tipo, una situación o una idea. Sin embargo, Vaccareza —como ya dije— usufructuó el género hasta agotarlo y fue quien lo mineralizó en fórmulas, las cuales presentadas, en sí, como "nuevo arte de componer sainetes", en sus consecuencias incubarán el fin de la especie. Esas fórmulas fueron enunciadas en diferentes lugares y con distintos modos. En sus días iniciales de autor, por ejemplo, escribió —parodia ingeniosa del *Soneto a Violante*, de Lope de Vega— aquello de:

> Un soneto me manda a hacer Castillo
> y yo para zafarme de tal brete,
> en lugar de un soneto, haré un sainete,
> que para mí es trabajo más sencillo.
>
> La escena representa un conventillo;
> personajes: un grévano amarrete,
> un gallego que en todo se entromete,
> dos guapos, una paica, un vivillo.

Literatura dramática argentina

Se levanta el telón, una disputa
se entabla entre el gallego y el goruta,
de la que saca el vivo su completo

y el guapo que persigue a la garaba,
se arremanga al final, y viene la biaba,
y se acaba el sainete... y el soneto.

Ya en el ocaso de su carrera de sainetero afortunado, Vaccareza todavía repetía la lección en un conocido diálogo, inserto en *La comparsa se despide*. La vieja fórmula prueba el usufructo permanente de recursos, novedosos y de éxito en un tiempo, pero agotados en 1930. El pasaje pertinente de dicho sainete desarrolla este diálogo:

—¿Y qué es el sainete porteño?
—¡Poca cosa!
Un patio de conventillo,
un italiano encargao,
choques, celos, discusión,
un yoyega retobao,
una percanta, un vivillo,
un chamuyo, una pasión,
desafío, puñalada,
aspamento, disparada,
auxilio... cana... telón.

—¿Y todo eso es el sainete?

—No se apure, don Mister,
que voy a mandarle el resto;
pues debajo de todo esto,
tan sencillo al parecer,
debe el sainete tener,
rellenando su armazón,
la humanidad, la emoción,
la alegría y los donaires

125

Raúl Héctor Castagnino

y el color de Buenos Aires
metido en el corazón.

José González Castillo, Pascual Contursi, Ricardo Hicken, Manuel Romero, Ivo Pelay, Alberto Novión, Antonio Botta, Florencio Chiarello, Villalba y Braga, Dedico y Ziclis, Martinelli y Massa, Nicolás Viola, entre otros, explotaron la especie que, según ya expresé, hacia 1930 ya estaba definitivamente agotada por no haberse renovado en recursos ni en motivos.

Por igual razón, poco había de durar el espectáculo por secciones, basado en piezas breves y sainetes; y casi todos los teatros volvían a la pieza única, en tres o cuatro actos, por función. Pero la vida iba haciéndose cada vez más difícil al buen teatro. Sólo las revistas "a la francesa", creadas sobre el molde de las de Mme. Rasimi, subsistían. El cine ganaba cada vez más adeptos: para los empresarios era pingüe negocio y, lógicamente, las salas destinadas al arte dramático iban desapareciendo. "Así —dice un historiador— en 1927 existían treinta y siete teatros distribuidos en la capital; veinticinco eran centrales y de importancia. Veinte años más tarde, apenas pasarán de veinte las salas en actividad y casi todas carentes de las comodidades ofrecidas por cinematógrafos de mediana categoría. Y, de entre ese número mermado, en la temporada de 1947, seis estaban ocupadas por elencos extranjeros. Añádase, luego, la paulatina transformación de algunos deportes —el fútbol, por ejemplo— en espectáculos multitudinarios y se añadirá otro factor gravitante en la declinación del arte dramático."

2. *Los mantenedores*

No se piense que este plano inclinado que recorre el teatro, por culpa de autores, intérpretes y empresarios irresponsables, es toda la vida teatral argentina de 1910 a 1949.

Literatura dramática argentina

No. Hay en ese lapso —aparte de los autores que por iniciarse antes ya se han mencionado—, quienes aspiran a lograr expresiones del alto coturno, verdaderos mantenedores de la jerarquía artística de la dramática argentina, aunque la producción de ellos sea relativamente escasa para el teatro, pues otros géneros reclamaron su atención con mayor asiduidad. Pueden recordarse, en sumaria remisión, Carlos O. Bunge, Ricardo Rojas, Enrique Larreta, Gustavo Caraballo, Juan A. García, Paul Groussac, Juan C. Dávalos, Valentín de Pedro, Benito Lynch, Horacio Quiroga, Josué Quesada, Belisario Roldán, César Iglesias Paz, Emilio Berisso, Arturo Capdevila, aunque es de suponer que queda algún otro nombre significativo en el tintero.

Junto a éstos, otros hombres de teatro mantienen, también en la dramática costumbrista, la nota amable y simpática de un teatro digno, sin pretensiones excesivas, pero de limpia ejecutoria, que enriquece el acervo dramático nacional. Su técnica es simple, quizás algo adocenada; en sus temas, ya urbanos, ya rurales, alienta la observación directa de nuestra idiosincrasia en tales medios. Consagrados exclusivamente al teatro o al periodismo, estructuran, en realidad, buena parte del cuerpo dramático reconocido comúnmente como "repertorio nacional". Aquí la enumeración sería larga. Por eso incluye, apenas, algunos nombres, los de más asidua frecuentación de los escenarios con obras originales; y también cabe advertir que la omisión de otros nombres no implica un juicio, ni mucho menos, sino la consecuencia de una razón de espacio y síntesis, correspondiente a las características de este panorama. Entre los comediógrafos recordados, vienen a la memoria los nombres de Roberto Cayol, Pedro B. Aquino, Julio F. Escobar, Francisco Collazo, Alejandro Berrutti, Edmundo Guibourg, Luis Rodríguez Acasuso, José Antonio Saldías, Alberto Novión, Claudio Martínez Payva, Carlos Schaeffer Gallo, Rodolfo González Pacheco, Edmundo Pappo, Arturo Lorusso, Alejandro de Isusi, entre otros.

Carlos Octavio Bunge, catedrático universitario, pensador de problemas de argentinidad, se acerca al teatro en 1904 con *La revolución de Chulampo*, que provocó —caso desusado en el medio teatral argentino— manifestaciones de desagrado por parte de los espectadores. Volvió a tentar fortuna, en 1909, con *Los colegas*, resonante éxito de crítica y público, que demostró su capacidad para la dramática, aunque Bunge no persistió en su ejercicio.

Enrique Larreta, el consagrado autor de *La gloria de don Ramiro*, escribió, en francés *La lampe d'argile*, vertida posteriormente al castellano por Eduardo S. Danero. Y luego *Santa María del Buen Aire, El linyera, Atorrante*, ensayos dispares rematados por el fracaso rotundo de *Jerónimo y su almohada* y el triunfo intelectual de *Tenía que suceder*, estrenada el 24 de octubre de 1947.

Ricardo Rojas llevó a escena el alto magisterio universitario y desde *Elelín* (1929) ha ido en continua superación tras *La casa colonial* (1932), *La salamanca* (1940), culminando su capacidad dramática —pese a las objeciones de los cronistas de escasa cultura estética y filosófica— en *Ollantay* (1939), tragedia incaica, de lograda belleza en su poesía y profundidad en su contenido antropológico.

Rojas, tucumano de origen, se realiza en Buenos Aires; Gustavo Caraballo, entrerriano, también. Graduado en derecho, periodista, llegó al teatro en 1917 con un drama rústico: *El hornero*, que reveló al creador dramático, cuyas dotes confirmaron luego: *El patrón del agua* (1919), *La cruz del Sur* (1920), *Con los nueve* (1921), *Juan Cuello* (1922), *La mancha de sangre* (1923) y *El nido oculto* (1931).

Juan Agustín García, enjuiciador del destino de la dramática nacional en los ensayos titulados *Sobre nuestra incultura*,

Literatura dramática argentina

catedrático universitario de renombre, historiador de nota, se acercó al teatro por el camino histórico con *Del uno... al otro, El mundo de los snobs* y *La cuarterona*.

Paul Groussac, el ilustre francés a quien tanto debe la cultura argentina, con una sola obra: *La divisa punzó* se ganó destacado lugar en la historia de la dramática nacional. Algo semejante podría decirse del cuentista regional Juan Carlos Dávalos, salteño, consagrado en el teatro de Buenos Aires, con piezas como *Don Juan Viniegras* (1926), *La tierra en armas* (1926), evocación de la epopeya de Güemes; *El ataja caminos* (1926) y *Águila renga* (1929).

También de escasa, pero valiosa producción dramática, es Valentín de Pedro, tucumano, que estrenó en Madrid una evocación de Facundo Quiroga, titulada *El caudillo* (1925) y luego: *El veneno del tango, El gato con botas, La santa, Un soltero difícil, Las víctimas de Chevalier, Una americana para dos,* algunas de las cuales las firmó con colaboradores españoles.

Benito Lynch, ilustre novelista, hizo dos intentos en la cuerda dramática: *El cronista social* (1911) y *Ex ungue leonem* (1912), malogradas por la ineptitud de un elenco zarzuelero que las representó en La Plata. Otro paso malogrado de la narrativa a la dramática fue el que dio Horacio Quiroga, quien en 1921 estrenó *Las sacrificadas* y dejó los manuscritos de *El soldado*, estrenada póstumamente.

Josué Quesada estrenó *La red*, en 1906, y aunque su labor teatral no fue constante en la creación, lo fue en el campo de la crítica, tanto como en el de la novelística. A su pluma se deben: *Pecado de todas* (1922), *Santos Guevara, actor cómico, Historia sin epílogo*.

Raúl Héctor Castagnino

Belisario Roldán, poeta y orador de nota, llegó al teatro con *Los contagios* (1915). Posteriormente: *Hacia las cumbres, La viuda influyente, Hacia la hoguera, El mago de la suerte, La niña a la moda* y *El autor de la denuncia* (1915); todas estas obras fueron estrenadas el mismo año, caso poco frecuente de fortuna escénica en un autor de los quilates de Roldán. Luego compuso, al año siguiente, *El rosal de las ruinas* particularmente asociado a su prestigio de poeta romántico, lo mismo que *El puñal de los troveros* (1921). Completan su repertorio, que abarca en total veintinueve títulos: *Cosas de París* (1915), *El señor corregidor* (1917), *Mister Franck* (1917), *¿Hay novedades?* (1917), *Romeo en pantuflas* (1918), *Amor que miente* (1918), *Las últimas violetas* (1919), *La ola de fuego* (1919), *Mauricio Norton* (1919), *El bronce* (1920), *La ganzúa de oro* (1920), *El acaparador* (1920), *El señor diputado* (1920), *Campo adentro* (1921), *El burlador de mujeres* (1922), *La virgen de la pureza* (1922), *Aunque no queramos* (1922). Es curioso registrar cómo, en el orden de lo popular, siendo Roldán autor de noble y rica pluma, su prestigio, en cambio, finca principalmente en los dos melodramas de tinte romántico: *El rosal de las ruinas* y *El puñal de los troveros*, algunos de cuyos fáciles, pegadizos y melodiosos versos estuvieron en labios de niñas cloróticas, recitadoras cursis y en los álbumes de nuestras madres. De hecho, en la perspectiva histórica, Roldán aparece como un continuador del romanticismo ingenuo de Martín Coronado.

César Iglesias Paz fue —con Pedro Benjamín Aquino— el dramaturgo de la mujer, por excelencia. Sus principales piezas giran en torno de problemas femeninos. Entrerriano, atraído por la ciudad, llega al teatro como triunfador en un concurso organizado por el Conservatorio Labardén, en 1907, con la pieza *Más que la ciencia*. Inspirándose en costumbres y ambientes argentinos, compone *La conquista* (1913), inte-

Literatura dramática argentina

resante comedia cuya idea central afirma que "la verdadera conquista del hombre debe hacerla la mujer no antes, sino después de la ceremonia nupcial". La misma inspiración tiene *La dama de coeur* (1914), donde castiga la costumbre del juego como pasatiempo de damas encopetadas. *La mujer fuerte* (1915), presenta a la hembra valiente, decidida, que no se deja amilanar por los golpes de la vida y lucha, se sobrepone y triunfa. *El vuelo nupcial* (1916), completa la producción del doctor Iglesias Paz, junto con *Buenos Aires, Diplomacia conyugal, Pecado original, A liquidar tocaron, El señuelo, El complot del silencio, El aplauso, La propia obra, La deuda de dolor, La enemiga* y *La gota de agua*.

Emilio Berisso, también con escasa producción dramática, merece ser recordado e incluido entre los integrantes de este primer grupo de *mantenedores* del prestigio teatral argentino por sus obras: *La amarra invisible* (1915), de trama espesa, algo confusa, donde la acción gira en torno de un matrimonio mal avenido; *Los cimientos de la dicha* (1915), comedia estrenada en 1917, que el autor luego destruyó por considerarla endeble; *Con las alas rotas* (1917), su pieza más popular, que Camila Quiroga, la actriz que con ella se reveló, paseó por los principales escenarios del mundo y que también fue adaptada al cinematógrafo. *Con las alas rotas* aborda el problema de la virtud femenina, asunto que Berisso retomó, desde otro punto de vista, en *El germen disperso*, drama menos conocido que el anterior, representado en 1919, considerado por algunos críticos como el más acabado de los escritos por este autor.

Arturo Capdevila, siempre poeta, comediógrafo ocasionalmente, ha escrito para el teatro: *La casa de los fantasmas, El divino marqués, Zincalí, Cuando el vals y los lanceros, Consumación de Sigmund Freud*, entre otras piezas de dispar fortuna escénica.

Entre los autores que viven exclusivamente del teatro, corresponde iniciar un sumario desfile con el nombre de Roberto L. Cayol, quien se estrena en la escena porteña, hacia 1909, con motivo de un concurso teatral en que dos de sus piezas: *El anzuelo* y *La buena mentira*, merecieron los premios principales. La producción de Cayol, abundante y uniforme, no se caracteriza por la originalidad temática, sino por lo cuidado de su factura y estilo y, en algunos casos, por la pulcritud de lenguaje. Cayol abordó temas locales, pero el observador directo de una realidad social quedó, a veces, postergado por ciertas reminiscencias literarias que dieron enfoque difuso a sus piezas, las cuales cayeron, según criticó Jean-Paul, en una retórica dulzona y empalagosa. El mismo crítico, al referirse al estilo y lenguaje de *La muerta de aquella noche* observa que "la producción del señor Cayol no está en verso, pero algo hay en ella de poético: el estilo. Los personajes de *La muerta de aquella noche* hablan un lenguaje lírico y precioso que —salvo oscuridades y rebuscamientos— tiene su valor. El autor gusta proceder por imágenes y por efectos verbales".

Entre los principales títulos del repertorio de Roberto L. Cayol, además de los citados, se cuentan: *Una broma de Arlequín, El camarín de Bermúdez, La nube, El festín de los lobos, Los espantajos, La casa donde no entró el amor, La eterna prosa, El jardín de la vida, La chica de la guantería, Don Juan Malevo, Jaulas de oro, La ciudad incrédula, La escuela de los audaces, Pepita de oro, La rueda de los inútiles, La perra vida*. La modalidad, proclive a lo literario, de Cayol dio lugar a que alguna vez se la comparara con la de Jacinto Benavente, por su capacidad de hábil dialogador.

Pedro Benjamín Aquino, entrerriano, bajó a Buenos Aires a estudiar medicina, graduándose en 1909. Se inició en el teatro con una pieza patriótica *La diana* (1913), a la que siguió *El tiranuelo*, comedia costumbrista, que decidió su triunfo en las tablas. Aquino, diestro pintor de la burguesía porteña, sobresalió en el trazado de caracteres femeninos. Hay en su teatro, en los temas y personajes, legítima simpatía humana que resuma buen humor y don de gentes; el tratamiento técnico sigue de cerca el molde quinteriano, según puede verse en *La carrera de la mujer, Una mala mujer, Georgina se casa, ¡Chinita!, ¡Criolla vieja!, El hombre de la casa, Allegra, La emboscada, Luz mala, El gordo López, Ha pasado una mujer, Elevación, El ídolo roto, El chauffeur de la señora, La brecha, El reo de la familia, Las murallas de Jericó, El caballo de Troya, Para la Capital Federal, Don Narciso Amenábar*. El repertorio de Pedro B. Aquino trascendió las fronteras nacionales y fue llevado al viejo mundo. Entre todas las piezas brotadas de su pluma, las de mayor éxito popular son las que integran la trilogía estudiantil de *La carrera de Charrúa, La llegada de Charrúa* y *La canción de Charrúa*.

El periodista Julio F. Escobar, según se deduce de su propio disconformismo, se declaraba dramaturgo fracasado, a pesar del centenar de títulos que integra su repertorio original y del no menos respetable número de traducciones que ha firmado. En efecto, permanentemente, desde el prólogo de la edición de sus obras, en secciones periodísticas que dirigió, Escobar se quejó de la mediocridad del ambiente teatral porteño; mediocridad que, según él, le impidió realizar la gran obra que dormía en su espíritu y que le llevó, de concesión en concesión, ora ante directores, ora ante "capo-cómicos", a prodigarse en piezas menores, *pane lucrando*.

En alguna ocasión, Escobar ha aclarado su manera de encarar y realizar teatro, con estos conceptos: "En cada obra que escribo tengo el propósito de ampliar mi acción periodística. Mis obras son brulotes periodísticos teatralizados. He escrito el brulote contra la mala mujer (*La víbora de la cruz*), contra el mal médico (*Charlatanes*), contra los malos amigos (*El trago amargo*), contra los desertores del matrimonio (*Palabra de casamiento*) y hasta contra los malos gerentes, como en *Los esclavos blancos*... Pero ese deseo noble de deshacer entuertos me ha ganado fama de envenenadísimo... Tan grande es mi fama en ese sentido, que hay quien me cree cansado de la vida, casado con una pantera y padre de once hijos enfermos de escarlatina y parecidos a otros tantos amigos míos... Por eso, de tiempo en tiempo, para asegurar que soy soltero, que tengo los dos ojos y que no estoy cansado de la vida ni soy un amargado, escribo obras de simple regocijo... Dejo la palmeta del dómine y tomo la pluma de ganso para hacer cosquillas. Entonces doy a luz *La muerte de un vivo, Amurado, Asegure a su mujer* y otras cosas peores, cuyo éxito, naturalmente, resulta en proporción inversa a su inferioridad. Además, en el teatro nacional, un autor, por veterano que sea, no siempre estrena lo que desea. la obra que estima, la que refleja mejor sus inquietudes espirituales. El autor propone: los directores de compañía y otros caciques disponen... Hay que bajar los ojos de los grandes modelos y ponerse a la altura de los grandes éxitos de risa. ¡La boletería ante todo y sobre todo!"

La víbora de la cruz ha sido uno de los triunfos de Escobar; pero, junto a ella, en heterogéneo conjunto de dispares valores, llevan la misma firma: *Charlatanes, ¡Mátame!, Flor de Lys. La gringa Tina, Mandinga, ¡Cuidado con la pintura!. El collar maldito, Un escándalo en Mar del Plata, Un caballero, un ladrón, ¡Con pistola a siete pasos!, Una pobre pecadora, Gente alegre, Un atorrante, Colón era gallego, Un padre en busca de seis hijas, Ingrata, Se mata o se perdona, La muerte de un vivo*, etc.

Al margen de sus tareas curiales, vinculado desde los comienzos al mundillo teatral como asesor jurídico, Francisco J. Collazo intentó algunas discretas, aunque intrascendentes, incursiones en los escenarios porteños. Así brotaron de su

Literatura dramática argentina

pluma: *La barra estudiantil, Un hombre, Peluquería de señoras, ¡Cuidado con las mujeres!, Mi marido, el otro y yo, El príncipe soñado, Mme. Pachulí*, piezas en las que, sin perder la dignidad del *métier*, supo explotar la nota pintoresca como efecto teatral.

Alejandro Berrutti y Edmundo Guibourg, tienen no muy abundante producción, pero de calidad. El primero escribió *Madre tierra*, resonante alegato social con los terratenientes. También ha firmado *Quien tuviera veinte años, La yunta brava, Les llegó su San Martín, Música barata, Chacarero criollo, Milonga, ¡Cuidado con las bonitas!, El amigo Kraus, Tres personajes en busca de un autor*. Edmundo Guibourg se inició en 1921 con *El sendero en las tinieblas* y, en 1922, dio *Cuatro mujeres*, obras de noble enjundia que hacen lamentar su alejamiento de la creación teatral, aunque Guibourg permaneció fiel al teatro sentando cátedra desde la crítica periodística.

Luis Rodríguez Acasuso, desde sus primeros pasos en la escena ha transitado por la línea que va de la comedia a lo Dumas (hijo) hasta el melodrama de Onhet. Su extenso repertorio ofrece altibajos, pues unas veces cae en lo folletinesco y otras merodea la nota sensacionalista. De lo primero es ejemplo *El barro humano*; de lo segundo *La vida que ha de nacer*. Figuran en su producción, entre otras piezas, además de las citadas: *Al pan, pan; y al vino, vino, La vida empieza siempre, Vivamos como Dios manda, La mal pagada, La maldad desinteresada, El hogar ajeno, Poker de almas, La mujer y su enemigo, La mujer de bronce, Creced y multiplicaos, El despertar del corazón, La danza del fuego, El hombre y su pecado, El torbellino del jazz*.

José Antonio Saldías obtuvo su primer éxito, en 1915, con *El distinguido ciudadano*, escrita en colaboración con Raúl

Casariego. Desde entonces y hasta 1946 aportó a la dramática nacional un abundante número de piezas, limpias, amenas, sencillas, epidérmicas; todas ellas construidas con determinada receta que dosificaba cuánto de chispa cómica, cuánto de ternura y lágrimas, cuánto de sensiblería debía administrarse en cada oportunidad. A pesar de ello, el teatro de Saldías no está exento de humanidad, porque el autor ha sabido observar el medio y los personajes; además, está animado por una nota de permanente simpatía: su auténtico porteñismo. Con razón se ha dicho de él que "se acudía a sus estrenos seguros de pasar una noche agradable y de reconocer en el escenario al amigo del café, al compañero de oficina o al vanidoso aristócrata *parvenu*, que es un fruto ilegítimo de nuestra democrática organización social". Los títulos más significativos de su repertorio —omito el teatro breve— son: *El distinguido ciudadano, La gringa Federika, El caballo de bastos, El pollo Almada, Blasones de plata, Delirios de grandeza, La casa de barro, La señora ministra, El pecado de amar, Ocho en línea, Mire que es chiquito el mundo, Mariquita Naranjazo, La montonera, Romance federal, La casa de las fieras, La leona de Castilla.* etc.

Arturo Lorusso, médico como Pedro Aquino, llegó al teatro en 1912 con *Manchita de oro*; luego compuso *La ínsula de don Felino, La botica de enfrente, Mandinga en la Sierra*, y algunos sainetes en colaboración.

Alberto Novión destacó, en una larga e ininterrumpida labor teatral, capacidad para la pintura de tipos y habilidad para plantear situaciones eficazmente dramáticas. *¡Facha tosta!, Misia Pancha la brava, El vasco de Olavarría*, magníficamente corporificados por intérpretes como Luis Arata, Orfilia Rico y Roberto Casaux, prueban la primera. *¡Bendita seas!, La chusma y ¡Tan chiquita y quiere casarse!*, la segunda. Otros títulos de su repertorio, dignos de ser recorda-

Literatura dramática argentina

dos, son: *En un burro tres baturros, Airiños de miña terra, El payo Roqué, Doña Rosario, La muchacha del circo, Don Chicho, La cantina, Jacinta, El corazón en la mano.*

Claudio Martínez Payva —como, en ocasiones, Carlos Schaeffer Gallo—, revive en este período ecos del teatro gauchesco, que parecían definitivamente extinguidos de nuestros escenarios después de 1918. La producción de Martínez Payva, de limpia factura y pretenciosa, es irregular en cuanto a calidad, pues junto a notas de honda dramaticidad, logradas con notable acierto, aparecen la truculencia y el folletín melodramático, cuando no el espíritu comercial. *A la rastra, La ley oculta, La isla de don Quijote, Las margaritas, Los penitentes, Toda una vida, Los nidos rotos, El gaucho negro, El lazo, El rancho del hermano, Se les dio vuelta la casa, Joven, viuda y estanciera, Cruz, Ya tiene comisario el pueblo,* son algunas de las piezas que compuso, a través de las cuales pueden observarse aquellas características.

Algo semejante puede decirse de Carlos Schaeffer Gallo, aunque su producción ofrece mayores variantes y evidencia, también, mayor inquietud estética. Schaeffer Gallo abordó motivos genuinamente folklóricos con *La novia de Zupay* y *La leyenda del Kakuy,* siguiendo esa senda virgen anunciada por Sánchez Gardel con *La montaña de las brujas* y *El zonda;* senda que exige rastreo documental, investigación de campo, material histórico y que, lamentablemente, poco ha interesado a nuestros autores teatrales, pues a los nombres de Sánchez Gardel y Schaeffer Gallo, apenas si se puede acompañar uno o dos más.

La inquietud de Schaeffer Gallo tampoco fue ajena al teatro histórico. Junto a la evocación de Güemes en *La ley gaucha* ha recordado notas pintorescas del rosismo en *La mazorquera de Monserrat* y *El candombe federal.* Un poema dramático, *Las rosas de la aurora,* lo reveló capaz de superar las dificultades de la poesía escénica. Y *El gaucho judío*, *El coronel Cinzano*, *El ilustre desconocido*, *La provincianita*, *El íntimo amigo*, *La suegra del diablo*, *Malatesta* y *El abanico* verifican su paso por el teatro gauchesco, la comedia de salón y el sainete cómico. "Hay en las obras de Schaeffer Gallo —dijo un comentarista— un trasunto amargo de nostalgia, como si el vivir agitado y turbulento de la metrópoli no hubiera aplacado del todo la sensibilidad adquirida en la infancia provinciana".

Rodolfo González Pacheco, con mayor sentido poético, con más equilibrio y finura, recogió la bandera de la redención social que otrora agitó Alberto Ghiraldo en *Alma gaucha* y *La columna de fuego* y en el panfletarismo anarquista, y la volcó en un teatro gauchesco sublimado. "El tono de González Pacheco —señala Luis Ordaz— es siempre florido, fresco, armonioso, colmado de imágenes felices, construido con los mismos elementos que brinda la tierra... Su acento es rebelde y, en cuanto puede, proclama sus exigencias de justicia." *Hermano lobo*, *La inundación*, *El grillo*, *A contramano*, *Las víboras*, *Juana y Juan*, *Manos de luz*, le pertenecen. Con Pedro E. Pico ha firmado: *Nace un pueblo* y *Juan de Dios, milico y paisano*.

El nombre de Eduardo Pappo cierra esta serie de los llamados "mantenedores", en cuanto los en ella incluidos han tenido inquietudes por mantener un nivel artístico digno en sus obras; serie no completa, desde luego —conviene repetirlo—, sino integrada en una visión a vuelo de pájaro.

Pappo ha creado un teatro que destila amargura. En casi todas sus piezas, aun las más amables o cómicas, hay algo amargo, algo de choque, de disconformismo. No son sus personajes, por cierto, de aquellos que infunden optimismo y alegría de vivir. Precisamente, por tal característica de su pluma, Pappo ha acertado en el grotesco. *Gaetano*, *El rey del kerosén, Paulina, Pichuco y yo, La rabia de don Batista, Hay que casar a Ernesto, Casado pronto verte quiero, Mi hermano el ingeniero, Los muchachos salieron buenos, Don Gaspar de la Cruz, La cantina de Pablo Antonio* y *La casa sin alma* son algunos de los más significativos títulos que firmó.

3. *Los renovadores*

Junto a los dramaturgos que —por las vías tradicionales— mantuvieron en alto el prestigio de la escena nacional en momentos en que la inconsciencia de muchos apuraba la decadencia, hubo también algunos que trajeron a la dramática argentina alientos de renovación, acercando a ella recientes innovaciones foráneas. Son los días en que en Europa, por ejemplo, empieza a cobrar auge el teatro de Pirandello y Lenormand, el expresionismo; en que los nombres de grandes directores, como Gordon Craig, Stanislavsky, Diaguilev, Pittöeff, Reinhard, anuncian nuevos rumbos al arte dramático. En la literatura dramática argentina reflejan tales inquietudes, en primer término, Francisco Defilippis Novoa, Armando Discépolo, Samuel Eichelbaum, Armando Moock, Enrique Guastavino, Bernardo Canal Feijoo, Ezequiel Martínez Estrada, Roberto Arlt, Homero Guglielmini, Nicolás Olivari, Alejandro de Isusi, Juan Enrique Acuña, Damián Blotta, José C. Piccone.

Francisco Defilippis Novoa, maestro rural y periodista, obtuvo su primer triunfo escénico en 1914 con *La casa de los viejos,* comedia en tres actos; triunfo confirmado algunos años más tarde con *El diputado por mi pueblo* (1918), sátira política, que junto con *La madrecita, El turbión, La samaritana, Hermanos nuestros, Una vida* y *Un cable de Londres* marcan una primera época de su quehacer teatral, caracterizada por la primacía de las situaciones y de la acción sobre los problemas espirituales, los ideales y los conflictos de raíz filosófica y militante, caracterizadores de su época de madurez, donde se incluyen piezas de elevada jerarquía artística y humana, como *El alma del hombre honrado; Tú, yo y el mundo después; María la tonta, Nosotros dos, El conquistador de lo imprevisto, La loba, He visto a Dios, Los caminos del mundo* y *Yo tuve veinte años*. "El teatro de Defilippis Novoa —estima Ordaz— era de maceración, de sacrificio, de purificación por medio del sufrimiento. Se hallaba impregnado de una filosofía del dolor que se transformaba en compasión y, por consecuencia, en perdón."

Armando Discépolo se inicia en 1910 con un drama de espíritu rebelde: *Entre el hierro*. Durante largo tiempo escribe piezas fáciles en colaboración con otros escritores; pero merece su inclusión en este grupo de renovadores porque, en verdad, es el proveedor de un género híbrido, con ribetes de tragicomedia, que ha dado en llamarse "grotesco criollo", cuyos antecedentes se remontan al teatro medieval y, en lo próximo, a los italianos Luiggi Chiarelli y Roberto Bracco. La técnica del grotesco criollo consiste en presentar un absorbente protagonista, que sobrelleva y monopoliza una crisis sentimental, un hondo dolor, tras la máscara de una absurda caricatura, tras una ridícula comicidad. Si se cotejaran con algunos títeres pirandellianos, se hallarían interesantes concomitancias con los entes de este grotesco criollo, según se manifiesta en piezas de Discépolo, tales como *Mateo* (1924), *Stéfano* (1929) y *Relojero* (1934). Interrogado en cierta ocasión el autor de *Mustafá*, sainete de antología, acerca de sus obras, expresó: "No quiero especialmente a ninguna. No sé si son buenas; lo que no ignoro es que podrían haber sido mejores. Lo que pienso de ellas —y nunca fui menos modesto— es que están vigorosamente vivas aún, pero inútiles

Literatura dramática argentina

en este enterratorio del teatro argentino decretado por empresarios y capo-cómicos que con el pretexto que el público porteño así lo quiere, son decidida y destructivamente extranjerizantes, a pesar de que con ello se dan a menudo disgustos muy serios".

Samuel Eichelbaum se inició tempranamente en las lides escénicas. A los siete años ya escribía sainetes, aunque sólo en 1919 llega al teatro profesional con *La quietud del pueblo*. A partir de esa pieza, por sí o con la colaboración de Pedro Pico, Eichelbaum ha escrito obras señeras en la dramática nacional. Su producción, de densa ideología y profundo buceo de almas, es esencialmente analítica y razonadora y puede deslindarse en varias épocas: la primera, que llega hasta 1940, en la cual Eichelbaum sólo ocasionalmente toca ambientes y personajes locales, para crear un teatro de proyección universal. En esta serie se incluyen *La mala sed* (1920), *Un hogar* (1922), *La hermana terca* (1924), *Cuando tengamos un hijo* (1929), *Señorita* (1930), *Soledad es tu nombre* (1932). Y también: *En tu vida estoy yo, Nadie la conoció nunca, El ruedo de almas, El camino de fuego, El dogma, Pájaro de barro*. En esta época, su teatro abunda en personajes atormentados y se le señalan influjos de Dostoievsky, Ibsen y Strindberg. Alfredo de la Guardia, en su estudio sobre el teatro de Eichelbaum, entiende que tiene de Dostoievsky el largo sondeo filosófico; de Ibsen, una inclinación al teatro de ideas y su misma confianza en un mundo donde impere el espíritu de la verdad y de la libertad; de Strindberg, la amarga densidad humana de sus personajes.

La segunda época de Eichelbaum se caracteriza por haber aceptado las sugestiones de hacer teatro de tono local. Con el mismo estilo, profundidad y acierto de las piezas anteriores, quizás con mayor dramaticidad, aborda en *Un guapo del novecientos* (1940) y en *Un tal Servando Gómez*, temas porteños. Y de un personaje como el "guapo" o el "compadre" —que por centenares, hasta el estereotipo, se había dado en los sainetes, sin calar a fondo su psicología— dibuja estampas recias y acabadas, definitivas en la literatura dramática argentina.

Largo silencio envuelve al teatro de Eichelbaum entre 1945 y 1955, como al de todos los autores serios y fundamentales de la dramática nacional. Desde 1955, vuelve a la palestra y se inicia en su producción una tercera época, tal vez menos intelectualizada que la primera y donde confluyen la persistente inclinación analítica y renovado interés por temas locales y de actualidad. De este período son *Dos brasas, Rostro perdido, Gabriel el olvidado, Un cuervo sobre el imperio* y *Subsuelo*.

Armando Moock, chileno, se inició en su patria, en 1914, con *Isabel Sandobal, modas*, pieza costumbrista, a la que siguen *Pueblecito* y *Un negocio*. Las ideas liberales expuestas por Moock en el drama *Los perros* aguzaron su disconformismo frente a la sociedad colonial en que vivía y determinaron, sumadas otras razones sentimentales, su alejamiento de Santiago de Chile (1919). En Buenos Aires, luego, realizó casi toda su producción; por ello, con razón, se le incluye entre los comediógrafos rioplatenses y, particularmente, entre los que expresaron inquietudes renovadoras. *La serpiente*, comedia en tres actos, cimenta aquí su prestigio, y luego: *Era un muchacho alegre, Mr. Ferdinand Pontac, La araña gris, Un loco escribió este drama, El castigo de amar, La fiesta del corazón, Natacha, Canción de amor, Álzame en tus brazos, La luna en el pozo, El mundo y yo no estamos de acuerdo, Estoy solo y la quiero, Rigoberto, Algo triste que llaman amor*, marcan una trayectoria de dignidad artística. Moock tenía exacto sentido del teatro y supo elevarse del localismo chileno de sus piezas iniciales hasta un plano de proyección universal que favoreció la difusión de sus obras, de las cuales se desprende una interesante galería de tipos y caracteres. La producción de Moock mantuvo una línea natural de calidad. Sin embargo, sólo en contadas ocasiones intentó una superación intelectual; de allí que algunas de sus comedias, dignas, discretas y teatrales, tengan, sin embargo, algo de "no logradas".

Enrique Guastavino se sintió atraído por una dramaturgia brillante, hecha de arbitrariedades, de disloques a lo Shaw, de paradojas a lo Wilde, de ingenio burbujeante. Amó la farsa como expresión de destreza dramática y conceptual, y, como en Shaw o en Wilde, tras la cortina reluciente de diálogos de brillante acero, tras las situaciones espiritualizadas, escondió al satírico, que en el fondo no fue sino el moralista.

En 1927 presentó *Adriana y los cuatro,* farsa reveladora de un ingenio resumante de *sprit.* Luego: *Santa Fulvia* (1928), *La mujer más honesta del mundo* (1929), *La novia perdida* (1941), *El señor Pierrot y su dinero* (1942), *La importancia de ser ladrón* (1942), lo mostraron como una voz distinta en la escena criolla, como un talento original y mantenedor constante de alto ideal estético.

Entre el grupo de autores con inquietudes renovadoras han de incluirse otros nombres, como los de Roberto Tálice, periodista y animador de muchas cruzadas de arte, quien compuso piezas como *Los infieles,* escrita a los diecisiete años; *Ciudadano del mundo, John, Jean y Juan, Juan sin sosiego, El ladrón del mar, La machorra, Sábado del pecado*; que ha firmado con Eliseo Montaine otras obras de inquietud, como *Noche en los ojos* y *La llama eterna.* El mismo Eliseo Montaine, quien, por su parte, compuso *Mujeres en el desierto, Corazón y milagro* y *La viudita del coronel Laurel.* Arturo Cambours Ocampo, quien se estrenó con *Max, la maravilla del mundo* en 1935, como miembro de una cruzada renovadora del teatro, y sólo doce años después volvió con *El delirio del viento.* Carlos Alberto Giuria, que como el anterior se inició en 1935 con *Yo soy el personaje,* pieza de la cual fue también intérprete, y después de *Viaje* (1937) silenció su pluma hasta 1967, en que estrenó una versión de *Santos Vega*. Enzo Aloisi, crítico, director de temporadas, animador constante de los teatros no profesionales, escribió piezas de elevada intención, como *Hechizao* (1919); *El crimen de Liniers* (1919); *Madre* (1929); *Nada de Pirandello, por favor* (1937); *Los afincaos*, firmada en colaboración con Bernardo González Arrilli; *Achechanzas en las sombras; El viaje a través de sí mismo*, y *San Hilario del Pedregal*. Arturo Cerretani señaló su paso por los escenarios con *El hombre que perdió su nombre* (1934); *La mujer de un hombre* (1936); *Esta noche me mato, señora* (1939); *La casa sin dueño; La zona de sombra; Hay que salvar a Susana; A la salud del viajero*, piezas densas, de afiladas aristas, en las cuales la palabra sirve a la situación con notable sentido dramático. César Tiempo, también ave de paso por la escena inquietada por espíritu renovador, quien estrenó en 1933 *El teatro soy yo*, con influjo de ciertos dramaturgos americanos muy característicos; volvió en 1935 con *Alfarda* y, en 1941, con *Clara Better vive*, se silenció por muchos años para el teatro. Bernardo Canal Feijoo, si bien ha hecho escasos ensayos dramáticos, en cada uno de ellos dejó sentada su capacidad para concebir escenas y situaciones de gran envergadura con alientos de gesta y libertad. *Pasión y muerte de Silverio Leguizamón*, en 1937, lo acercó a los escenarios al dar vida a una figura legendaria de Santiago del Estero, encarnación del instinto de libertad e independencia del pueblo. La tragedia *Tungasuka* (1964) confirmó esas aptitudes de elocuencia dramática y su facilidad para mover las masas en escena. Ezequiel Martínez Estrada, realizado como Canal Feijoo especialmente en el campo del ensayo, también intentó fugazmente el teatro con *Títeres de pies ligeros* (1929). Posteriormente estrenó *Lo que no vemos morir* (1941). Y en el libro, sin llegar a las tablas, quedan *Sombras* (1941) y *Cazadores* (1957). Roberto Arlt concibió una dramática universalista en *Trescientos millones* (1932), ensayó la farsa en *Saverio el Cruel* (1936), se proyectó ambiciosamente en la tragedia con *La fiesta del hierro* (1940) y dejó trunco *El desierto entra en la ciudad*. Homero Guglielmini, que llegó al teatro como traductor en 1933, compuso *La mujer del otro piso* (1946), *Cómo han cambiado las cosas* (1948) y *Sol de media noche* (1960). Nicolás Olivari estrenó *Tedio* en 1936, comedia donde el objetivo de crear un clima escénico se cumple logradamente; luego compuso *Irse, La pierna de plomo, Amargo exilio*; en colaboración con los hermanos Enrique y Raúl González Tuñón, escribió *Un auxilio en la 34ª* y *Dan tres vueltas y luego se van*. Alejandro de Isusi, radicado en La Plata, estrena en dicha ciudad *La galerna*, poema dramático, y *Mientras se espera al Niño*, villancico dramatizado. Juan Enrique Acuña, oriundo de Posadas (Misiones), hizo teatro en la patria chica, estrenando en aquella ciudad *Viajeros* (1937), comedia en tres actos, a la cual siguieron *Como una oscura hoja de tabaco* (1952) y *La ciudad condenada* (1953). Damián Blotta, también de La Plata, compuso *El patrón de todo*, estrenada en dicha ciudad en 1921, y *Una mujer de experiencia*. José Piccone, otro platense, escribió *El chofer de Margot, Los fracasados* y *La viudita que no quería volver a casarse*.

4. *Algunos binomios*

En el historial de la dramática criolla, durante el lapso comprendido entre 1910 y 1949, figuran algunos autores que han cimentado su prestigio escribiendo piezas en colaboración. Entre éstos pueden recordarse a Nicolás de las Llanderas y Arnaldo Malfatti, quienes produjeron numerosas comedias de gusto popular, entre las que sobresalen: *Así es la vida*, milenaria en representaciones; *Porque sí, Los tres berretines, Luján, Cuando las papas queman, Caminito alegre*,

Raúl Héctor Castagnino

Miente y serás feliz, No hay que hacerse mala sangre, Coima, Mis cinco papás, La gallina clueca y otras. A Camilo Darthes y Carlos Damel, creadores de comedias amables y dignas, en las cuales han sabido conciliar la concesión forzosa de escribir para determinado intérprete, el gusto del público, el *métier* consumado y un plausible y elevado sentido artístico. Entre su repertorio sobresalen piezas como *Hasta el pelo más delgao..., El autor, Una herencia complicada, El intruso, El instante, El novio de Martina, El viejo Hucha, Los chicos crecen, Un bebé de París, La hermana Josefina, Amparo, Manuel García, Mi felicidad y tus amigas, No la quiero ni me importa, Tres mil pesos, Delirio* y otras. A Román Gómez Masía y José María Monner Sans, quienes llevaron a la escena prestigio universitario e inquietudes renovadoras en piezas como *El tren 48, Yo me llamo Juan García* e *Islas Orcadas,* siendo de justicia recordar que, por su parte, Román Gómez Masía, prematuramente desaparecido en 1944, dejó su visión de un nuevo teatro a través de *Temístocles en Salamina, Ausencia* y *El Señor Dios no está en casa.* A Arnaldo Malfatti y Tito Insausti, asociados, luego de la desaparición de Nicolás de las Llanderas, para continuar realizando un teatro de parecidas características al creado por el binomio anterior, firmantes de las piezas tituladas: *Tiburón, Una cándida paloma, Vidas porteñas* y *¡Adiós plata mía!* A Carlos Goicoechea y Rogelio Cordone, autores de un centenar de piezas, confeccionadas a la medida de determinados intérpretes, en las cuales manifestaron ingenio para plantear situaciones y derrocharon gracia porteña. Entre sus últimas producciones se recuerdan: *Me alegro de haber nacido, La boina blanca, Papi de mi corazón, Cada casa es un mundo, ¡Qué gran hombre es mi papá!, Llovido del cielo, Yo nací para el amor, Yo seré lo que tú quieras, Odioso de mi alma, Noches de carnaval, Babucha se casa, La barra de la esquina, Te escaparás si sos bruja, Mi santísima voluntad, Aquí mando yo.* A José Bugliot y Rafael de Rosa, temporariamente reunidos para firmas obras como *La divina Beatriz, Millones en el conventillo, Papá tiene plata, La casa grande, Otto Klein,* de dispar factura, en las cuales la nota intelectual, a veces, va unida a concesiones del peor gusto. A Carlos Olivari y Sixto Pondal Ríos, ingenios bien dotados, probados en el periodismo, que promisoriamente comenzaron en el teatro con *La tercera invasión inglesa,* para ir progresivamente cayendo en el clisé de pretendidas comedias cinematográficas, muy bien puestas en escena, con diálogos chisporroteantes, pero absolutamente epidérmicas, vacías, intrascendentes, aunque constituyeron financieramente crédito seguro, como lo atestiguaron año tras año: *Amor al contado* (1937), *La estancia de papá* (1938), *No salgas esta noche* (1942), *Los maridos engañan de 7 a 9* (1938), *Si Eva se hubiese vestido* (1944), *Viejo verde* (1945), *Ya es hora de que te cases, papá* (1947), *¿Vendrás a medianoche?* (1948), *El otro yo de Marcela* (1948).

5. *Las comediógrafas*

También la mujer ha aportado los frutos de su talento a la dramática argentina, aunque en proporción menor que en otro tipo de actividades culturales. Mientras que en otros géneros —novela, lírica, ensayo, por no atender sino a lo literario— ha consagrado nombres definitivos, en el teatro apenas si se han podido mencionar, en el siglo pasado, los de Juana Manso de Norohna, Matilde Cuyás y Eduarda Mansilla de García.

En promoción más reciente, Salvadora Medina Onrubia estrenó, en 1921, *La solución* y, en 1929, *Los descentrados*. En el mismo año, Ángela G. Moreno obtuvo el segundo premio en un concurso dramático efectuado en el Teatro Apolo, con *La otra,* comedia (el primer premio correspondió a Rafael di Yorio con el drama *Mancha de sol*). De 1922 se recuerdan: *La vida se reconstruye*, de María Luisa Segré, y *Marcela*, de Lola Pita Martínez. En 1924, Alcira Obligado presentó la comedia dramática *Cantares y lágrimas*. Amelia Monti estrenó, en 1925, *La canalla*. Alfonsina Storni, en 1927, se estrenó con *El amo del mundo*, a la cual siguieron más tarde sus *Farsas pirotécnicas* y los valiosos antecedentes del contemporáneo teatro infantil, que tuvo a la autora de *Ocre* como gran maestra. También de 1927 es *¡Pobres almas!*, de Carolina Alió, inspirada en la novela de Henri Duvernois: *Un soir de pluie*. Y en el mismo año realiza su primer ensayo dramático Herminia Brumana, firmando en colaboración con J. Vázquez *Cuando planté rosales...*, ensayo luego continuado con *Miluch* (1932), *El buitre, María de Magdala, Dos alas de amor, Fiesta en la aguada, El hijastro, Fábrica de fósforos* y *Mañana me caso*. En 1928 triunfó Sofía Espíndola con *Mariposas de luz*, sainete, y *Los moralistas*, comedia; llevan su firma, además, *Un momento de extravío*, primera pieza estrenada en 1923, y *El rincón azul*.

Malena Sándor se inició auspiciosamente en 1938 con *Una mujer libre*; más tarde escribió *Yo soy la más fuerte* (1943), *Tu vida y la mía* (1945), *Ella y Satán* (1948), *Y la respuesta fue dada* (1956), intentando crear un teatro de anticipación con *Una historia casi verosímil* (1965). María Luz Regás ha firmado *Vacaciones* (1943) y *Papá es un gran muchacho* (1944). Eugenia de Oro, autora de piezas de teatro infantil, estrenó en escenarios profesionales *Un destino de mujer* (1943). Alcira Olivé, en 1945, dio a conocer *Tres maridos, mucho amor... y nada más*. Había llegado al teatro en Rosario, su ciudad natal, en 1920, llevando a la escena *La única verdad*, y firmando, además: *Ana María, El mordisco, La salvación, Más que la honda, Máscaras y corazones, Entre tú y yo, el otro, Somos dueños del mundo* (premio nacional de comedia), *¿Por qué te casaste conmigo?* En 1942 obtiene el Premio Iniciación de Teatro Graciela Teisseire, con *Ráfaga*. Vuelve a triunfar en 1943,

Literatura dramática argentina

en otro certamen, con *¿Quién es usted?* Su última obra estrenada es *Ramírez* (1957), de carácter histórico, representada por primera vez en Entre Ríos. Angélica Sarobe, actriz de escuela, surge como autora en 1946 al llevar su comedia *Selva y petróleo* las palmas en el certamen de Argentores. Ha escrito, además, *La red, Bajo el rugir del cañón, La gran conquista, Ramón Equis e Infierno*. María Luisa Rubertino se estrena, en 1946, con *El silencio*. Diversos conjuntos le representan, luego, *Está con nosotros, El encuentro, La cesta, El regreso* y *El cerco roto*. Velia Malchiodi Piñeiro, joven y fecunda comediógrafa, escribe *La cooperativa de Diógenes*, farsa; *Adán y Eva, Mechongaí, La fiebre de Rosita, El angurriento*, títulos señalables entre una cincuentena.

6. *Tres poetas en el teatro*

Quien, desde la perspectiva ofrecida por la literatura dramática argentina al promediar el siglo XX, echase una mirada retrospectiva, verificaría cómo, a grandes trazos, entonces fue lícito afirmar que el teatro nacional llevaba treinta años de crisis y cómo, en la década 1940-1950 la decadencia tomaba caracteres lamentables y angustiosos. No había salas teatrales, copadas por el cinematógrafo; había disminuido el número de los intérpretes de primera línea, ganados unos por la pantalla, muertos otros; los auténticos dramaturgos no escribían y si lo hacían debían acomodarse al género que practicaban las escasas compañías sobrevivientes, a la calidad y criterios impuestos por los capitalistas que oficiaban de empresarios, al paladar de un público de gusto pervertido por el mal cine, por las angustias de la guerra y de la posguerra, por la falta de cultura teatral, por treinta años de decadencia escénica y por la subalternación de los principios intelectuales, deliberadamente menoscabados desde las altas esferas gubernamentales, sobre todo a partir de 1945.

Sin embargo, como nota de inquietud y superación estética, al margen del deplorable panorama que ofrece la literatura dramática entre 1940 y 1950, algunos poetas se acercan a la escena. Entre ellos, Horacio Rega Molina, con obra de calidad literaria, pero escasa teatralidad, como *La posada del león* (1936), *La vida está lejos* (1941) y *Polifemo o las peras del olmo* (1945).

Conrado Nalé Roxlo, delicado poeta de *El grillo* y humorista de ley bajo el seudónimo de Chamico, autor como tal de una *Antología apócrifa* tenida como modelo de captación estilística, se inicia en la escena en 1941 con *La cola de la sirena*, donde aborda el tema poético de la mujer sirena, actualizando motivos que inspiraron a Ibsen para *La dama del mar*; a Giraudoux, para *Ondina*; a Casona, para *La sirena varada*, y a Blackmore, para *Una ventana al mar*. A la pieza inicial de Nalé Roxlo siguieron *Una viuda difícil* y *El pacto de Cristina*, la primera inspirada en un interesante asunto colonial, que el autor trató superficial y amablemente; la segunda, depurada expresión que entronca en el más legítimo espíritu del teatro clásico español y amalgama elementos de picaresca, y del romancero castellano. *Judith y las rosas*, en 1956, aunó Biblia y poesía. Algunas piezas breves como *El pasado de Elisa*, *El neblí*, *El vacío*, *El reencuentro*, confirman la doble condición de poeta e ingenioso comediógrafo que ostenta Nalé Roxlo.

Por último, también ensaya la técnica dramática con espíritu de poeta Juan Oscar Ponferrada, quien se inicia en 1945 con la nota folklórica de *El carnaval del diablo* y pulsa, otra vez en verso, temas de la tierra en *El trigo es de Dios* (1947). Ha escrito, además, *El alba de María Rosa*, *Los abandonados del sueño* y *Don Juan Caranval*.

Literatura dramática argentina

7. *Al promediar el siglo*

Cuando el siglo XX promediaba, muchas de las plumas aquí mencionadas estaban inactivas desde años antes. De tantos autores que nutrieron la dramática nacional —al punto de convertirla en una de la más abundante en títulos, no en obras maestras, dentro del consenso universal—, contados eran los que en 1950 mantenían contacto con la escena. No estrenaban ni los viejos ni los nuevos. ¿Desinterés de los creadores de las empresas, del público? ¿Condiciones adversas del medio políticosocial?

Es difícil determinarlo, apuntando a una sola razón, pues fueron muchos los factores influyentes. Lo cierto es que apenas si había elencos nacionales que representaran obras nuestras. Las escasas compañías que ocupaban las pocas salas disponibles se volcaban al repertorio foráneo, de probado éxito en París, Londres o Nueva York. El público colmaba esos teatros, se disputaba las localidades en los cinematógrafos, se arremolinaba en las canchas de fútbol, en los hipódromos, en los mítines políticos. Porque había público para toda clase de espectáculos. Una pieza teatral, por mediocre que fuese, si alcanzaba discreto éxito, se eternizaba en las escasas carteleras, restando posibilidad de estreno a las que esperaban turno.

Sin embargo, la pobre dramática criolla se acercaba al fin de un inmerecido calvario. Languidecía, casi agónica. En esa *débacle* apareció, en 1949, una esperanza, muy débil, pero esperanza al fin, con un joven comediógrafo, Carlos Gorostiza, quien siguiendo la técnica neorrealista del cine italiano de posguerra, en tres de los cuatro momentos de *El puente*, brochazos de los barrios porteños, se presentó con la garra de un legítimo hombre de teatro. *El puente*, recorte de vida suburbana, nacido en el ámbito de los teatros independientes —los verdaderos impulsores de la nueva vida que cobrará el teatro argentino, luego de 1955—, pasó a un escenario profesional. Y la noche en que cerró triunfalmente la temporada del Teatro Argentino, donde se instaló, Armando Discépolo, quien fuera el conductor de la misma, se dirigió a los espectadores y luego de señalar la larga crisis por que atravesaba el teatro nacional, dijo de sus esperanzas acerca de una posible revitalización por razones de propia gravitación artística y cultural. "En cualquier país —concluyó—, el arte dramático es el último en nacer; aparece como una culminación de madurez en la cultura, en la civilización. En nuestro país, milagrosamente, mágicamente, fue el primero en aparecer. Entonces, ¿cómo puede morir, cómo puede desaparecer, cuando todas las demás artes, nuestra cultura, nuestra civilización, van superándose diariamente?"

Estas palabras, puerta abierta a las esperanzas, fueron semillas estimulantes que reconfortaron frente al pauperismo ofrecido por la realidad teatral, pero también frente a la otra realidad no menos palpable del interés por el arte dramático, en una juventud que en sótanos o en cuevas, a veces perseguida policialmente, conservaba vivo el fervor por el teatro, pese a las duras condiciones ambientes. Y mientras los dómines predecían la muerte del teatro, mientras desde el régimen político imperante se hacía todo lo posible por aniquilarlo, la juventud de los teatros vocacionales estudiaba, formaba equipos y escuelas, se preparaba para el futuro.

Se confirmaba así, una vez más, que el predecir la muerte del teatro es cantinela tan antigua como el teatro mismo. Desde aquel momento inspirado en que un grupo de viñadores borrachos tradujo en representación y mimo su alegría agradecida, no ha pasado época sin que algún augur sombrío haya profetizado la muerte del culto de Talía. Afortunadamente éste, a pesar de atravesar momentos críticos, ha renacido siempre que logró poner en acción con sinceridad la alegría, el dolor, los sueños y los fracasos del hombre, transmitiendo emoción. Desaparecerá, sí, tal o cual especie dramática,

Literatura dramática argentina

como desaparecerán el dolor o la alegría de tal o cual individuo, como desaparecerá el individuo mismo. Pero el teatro, no; porque subsistirán siempre el Hombre, la Alegría, el Dolor. La Argentina no podía ser excepción a esta ley y también el teatro argentino debía reflorecer.

La crisis teatral argentina acompañará la crisis político-social que padece el país, hasta 1955. Pero en ella, además de las hostiles condiciones del medio, gravitaron otros factores, que requieren especial puntualización.

IX. La crisis teatral argentina al promediar el siglo XX

A nadie se le ocultaba, en los alrededores de 1950, que desde el punto de vista de la jerarquía estética y de la cultura, el panorama de la dramática argentina era en esos momentos el más desolador de cuantas manifestaciones artísticas y culturales se realizaban en el país.

Desde las primeras expresiones de creación dramática, perdidas en el siglo XVII, durante todo el siglo XVIII y casi hasta finalizar el siglo XIX, sólo se hallan manifestaciones aisladas concurrentes a perfilar un teatro de aire local. Los esfuerzos en pro de un teatro vernáculo, de una dramática nacional, carecen de unidad, continuidad y apoyo unánime. A fines del siglo pasado, por coincidencia de la serie de factores apuntados en capítulos anteriores, aflora una tierna dramaturgia, que en una década alcanza definida personalidad. Pero cientos de vampiros se arrojan sobre ella, la usufructúan en desmedro del arte y no tardan en agostarla. Cumplida la primera década del siglo XX esa dramática criolla, comienza a languidecer y al culminar la primera mitad del siglo, quienes miraban apesadumbrados el estado de cosas que pesaba sobre el hecho de la creación dramática argentina temían ver contados —si no sobrevenía saludable reacción— los días del arte dramático nacional.

¿Era infundada esa pesimista sospecha? Una ligera observación retrospectiva de los factores gravitantes y la simple enumeración de ellos, ajenos a la dramática propiamente dicha, bastan para verificar cómo la que fue la dramaturgia más importante de América latina se hallaba, hacia 1950, en completa desintegración. Descarto aquí el factor político de un régimen totalitario que no desea que el "arma" del teatro escape a sus manos, porque éste es elemento que comienza a hacer sentir su imperio desde 1948 y, además, su incidencia se registrará palpablemente en el capítulo siguiente. Apuntaré, en cambio, cuáles eran los factores demográficos, geográficos y económicos; los de incultura teatral y los de temática, influyentes en la crisis.

1. *Factores geográficos, demográficos y económicos*

Para desplegar estos factores, los datos más inmediatos que es dable recoger son los registrados, al 30 de noviembre de 1947, por la Dirección de Estadística de la Municipalidad de Buenos Aires. No hay referencias fidedignas que abarquen la totalidad del país.

La más visible actividad teatral de la República Argentina está, en ese momento, concentrada en la Capital Federal. El territorio argentino tiene una extensión de 2.798.000 kilómetros cuadrados y cuenta, para ese entonces, con una población de 16.000.000 de habitantes. La Capital Federal, con 185 kilómetros cuadrados de superficie, alberga 3.022.431 habitantes. Toda expresión brotada en el interior del país está condenada a perderse, si no resuena en la Capital Federal. Los autores provincianos abandonan el terruño y convergen en Buenos Aires, en busca de algún eco para sus creaciones. Así ha ocurrido, prácticamente desde comienzos del siglo, y los nombres de Ezequiel Soria, Julio Sánchez Gardel, Carlos Schaeffer Gallo, Pedro B. Aquino, Alejandro Berrutti, Bernardo Canal Feijoo, Arturo Capdevila, Carlos Carlino.

Literatura dramática argentina

Juan C. Dávalos, F. Defilippis Novoa, J. O. Ponferrada, son unos pocos de la larga serie mencionable. Esta absorción metropolitana inhabilita todo intento legítimo de dignificación de la dramática vernácula, nacida en provincias, con alcance nacional.

Por otra parte, en la Capital Federal las cosas no se presentaban como para favorecer al teatro. Las veinte salas teatrales que funcionaban estaban ubicadas en un perímetro que escasamente cubre un kilómetro cuadrado. En cambio, en cada barrio de la ciudad había dos o tres cinematógrafos. Dada la distancia, los inconvenientes del transporte y los precios prohibitivos, las gentes que no gozaban de desahogadas finanzas, se inclinaban por el cine.

Sólo en la Capital Federal funcionaban doscientos dieciséis cinematógrafos frente a los veinte teatros. Y en todo el país había mil seiscientas cincuenta salas que pasaban películas, número que colocaba a Argentina como el segundo país de América latina, pues los siete mil noventa cinematógrafos existentes entonces en ésta se hallaban distribuidos así, por orden alfabético:

Países	Población	Nº de cines
Argentina	16.000.000	1.650
Brasil	48.000.000	1.690
Bolivia	3.500.000	50
Costa Rica	9.000.000	305
Colombia	600.000	50
Cuba	4.750.000	430
Chile	4.600.000	300
Ecuador	3.690.000	50
Guatemala	3.200.000	35
Haití	3.000.000	10
Honduras	970.000	35
México	19.700.000	1.500
Nicaragua	1.000.000	28
Panamá	500.000	70

Países	Población	N° de cines
Paraguay	1.400.000	20
Perú	7.500.000	235
Puerto Rico	1.800.000	135
República Dominicana	1.300.000	170
República del Salvador	1.800.000	40
Uruguay	2.310.000	170
Venezuela	3.500.000	252

Estos datos tomados del diario *La Prensa* de Buenos Aires (28/5/1948), documentan la enorme desproporción entre el número de cinematógrafos y el de teatros, tomando como referencia para éste el caso de Buenos Aires, que todavía en 1948 era la capital americana con mayor número de salas teatrales. Pero, además, pueden complementarse con los que figuran en un informe de la Asociación Argentina de Actores donde se registra, para dicho año, que París, por ejemplo, con 5.000.000 de habitantes, posee setenta y tres teatros, excluidos los de los aledaños; que Madrid, con 1.200.000 almas, cuenta con veintidós salas en actividad, y que, con semejante número de habitantes, Barcelona tiene catorce teatros.

Para completar estas cifras —y con ellas los puntos de referencias para las comparaciones, al promediar el siglo— es interesante transcribir los datos estadísticos que la Municipalidad de Buenos Aires publicó al 30 de noviembre de 1947. Según ellos, en el mes de noviembre de dicho año, concurrieron al cine 3.166.715 espectadores, quienes pagaron por las "localidades" la suma de 4.594.878 pesos moneda argentina. En el mismo lapso concurrieron al teatro —extranjero, criollo, de revistas, etc. —287.679 personas, quienes oblaron 1.045.732 pesos moneda nacional. A esa fecha, los precios promedio por "entrada" eran: para el cine, 1,045, y para el teatro, 3,95 pesos moneda nacional.

Y para totalizar un panorama de los gustos, aficiones y por ende, de los intereses culturales de la población por-

Literatura dramática argentina

teña, pueden añadirse —aunque no vengan al caso— estos otros datos: en ese mismo mes concurrieron a los museos ciudadanos, 72.073 visitantes; mientras que a los espectáculos futbolísticos la mayor concurrencia se registró en el mes de agosto de 1947, con 434.410 espectadores, quienes pagaron 672.011 pesos moneda nacional; asimismo, en el mismo mes, visitaron los hipódromos 238.088 "catedráticos", que apostaron por valor de 32.274.646 pesos moneda nacional.

2. *Factores de incultura teatral*

En el territorio argentino había, hacia 1950, centenares de colegios de enseñanza media y cuatro facultades de Filosofía y Letras. En ningún programa secundario ni universitario figuraban cátedras de cultura teatral o de historia del teatro.

Hasta mediados de 1948 no se conocía ningún gobierno, municipalidad, capo-cómico o empresario que hubiera tenido el generoso gesto de ofrecer funciones gratuitas los días de receso en plazas o lugares apropiados, en todo el país. Desde mediados de 1948, algunos intentos oficiales, como el de la entonces llamada Secretaría de Cultura, aparecían viciados de infiltraciones políticas y demagógicas.

La sólida entidad autoral, nacida del esfuerzo de los pioneros, no parecía estremecida por la crisis del teatro. Su importante organización había recaudado en conceptos de derechos de autor, en 1947, la sideral suma de 11.668.682,50, y, en 1948, 15.155.461,31 pesos moneda nacional. Pero, urgida por problemas de diversa índole, sólo en contadas ocasiones había organizado la divulgación de la cultura teatral.

Los empresarios, que alguna vez fueron hombres de teatro, ya no lo eran. Y su criterio "comercial" daba origen a perjudiciales conflictos gremiales.

No se vislumbraba ningún creador (aunque abundaban,

pues un concurso entonces organizado recibió trescientas producciones como aspirantes a premio) que sintiera un santo impulso, un noble fuego, un quijotesco arrebato de hacer comprender a un empresario que, también elevando la puntería artística, se podían obtener buenas ganancias.

La aparición del radioteatro, que pudo ser puntal para sostener el edificio dramático que se desmoronaba —puntal por la inverosímil penetración del mensaje radiofónico hasta lo más recóndito de la intimidad doméstica—, sólo daba expresiones espúreas y a nadie se le ocurrió utilizarlo en función educativa, en función de una legítima cultura artística popular.

La labor cinematográfica —al parecer más descansada y siempre más remunerativa— ganaba muchos intérpretes. La prensa periódica, la crítica, los dirigentes, que fácilmente podían crear el clima favorable a una revitalización del arte dramático, asistían indiferentes a esta agonía.

3. *Factores sociales y de temática*

Frente a las razones geográficas, demográficas, económicas y culturales se infiltraban otras, tal vez más importantes, más candentes, de índole social. Tras la revolución política de 1943 se actualizaron, por vía de las reivindicaciones proletarias, manejadas demagógicamente desde las esferas gubernamentales, una serie de cuestiones sociales que el teatro había anticipado como temática de avanzada, desde comienzos de siglo. En *Sociología del teatro argentino* he puntualizado el fenómeno de nuestra literatura dramática de militancia social y cuáles fueron sus líricas banderas redentoristas. Así los problemas de la inhumana explotación obrera, de la expoliación del hombre de campo por terratenientes y consignatarios, el sentimiento de arraigo a la tierra, los conflictos entre capital y trabajo, las lacras del caudillismo

Literatura dramática argentina

y de la politiquería rastrera, habían encontrado en el teatro una tribuna idealista y audaz para combatir tales males. Después de 1943, la evolución del país fue dando un sentido de actualidad político-social a aquellos problemas, y a los líricos planteos e ideales que algunos autores dramáticos sostuvieron para bien de las clases menos favorecidas, de los humildes, de los oprimidos. La actualización de aquellos problemas, cuando llegaba el tiempo de convertir en palpable realidad las líricas banderas agitadas por los idealistas de la justicia social fue subvertida y el interesado y demagógico trueque de concesiones sociales por votos, menoscabó la integridad de cincuenta años de prédicas, durante los cuales el teatro fue digno vehículo. Y sin embargo, hacia 1950, precisamente cuando esa actualidad pudo agrandar su eco, la dramática no retomó esa temática, ya madurada a través de dos contiendas mundiales, de experiencias locales y foráneas, y permitió que los malos políticos la manosearan en mitines y barricadas. Olvidaron los dramaturgos argentinos de ese momento que sólo es posible crear teatro cuando el mundo y los intereses del autor son los del espectador.

En ocasión de festejar las primeras cincuenta representaciones de *El vasco de Olavarría* de Alberto Novión, en 1924, Joaquín de Vedia, quien a la sazón dirigía la compañía de Roberto Casaux, manifestó en un discurso: "Dentro del teatro argentino, cuyos más remotos orígenes conocemos todos, el instinto elevado a intuición por la misma dignidad del objetivo que persiguiera (pero no una verdadera cultura estética, no una verdadera cultura literaria y artística) lo ha hecho todo: autores, actores, público". Hasta 1950, las cosas de nuestro teatro se manejaban por "pálpito", por instinto. Fueron los grupos vocacionales, que emergerán florecientes después de 1955, quienes comprenderán que la situación entonces vivida por el teatro nacional no podía zanjarse intuitivamente; que exigía solución integral, racional; quienes advirtieron que no era ya sólo en lo estético de donde debía resurgir el arte dramático, que la decadencia del teatro argentino era problema nacional. Y de esos grupos paulatinamente nacerán las iniciativas propiciadoras del resurgimiento: escuelas de teatro, anulación del "divismo", trabajo en equipo, serios estudios, atentas experimentaciones en verdaderos laboratorios teatrales.

El esperanzado proceso que arranca de 1955 vuelve, además, a la dimensión nacional. Se proyecta hacia todo el país, supera el macrocefalismo de la ciudad capital, estimula otros modos de creación dramática. Ese proceso está en marcha y —por actual y coetáneo— ha de recurrirse a la crónica para dar cuenta de él.

X. La actividad teatral y la creación dramática entre 1950 y 1967

1. *Perspectivas*

La inmediatez de los acontecimientos encerrados en el lapso que abarca el presente y último capítulo, advierte que el criterio histórico debe ser sustituido aquí por otro, propio de la crónica. En efecto, todo cuanto en él se incluye está demasiado próximo al investigador. Se carece de la perspectiva, que facilita encuadres, agrupaciones por afinidad o jerarquías. En sí mismos, muchos aspectos son aún confusos y la información no se halla lo suficientemente decantada como para abrir juicios definitivos.

Al cerrarse la primera mitad del siglo xx, dentro del clima pesimista que auscultaban los amantes del teatro, dentro de la órbita profesional, apuntaban mínimas esperanzas en un hecho entonces apenas perfilado: en la línea de los teatros llamados vocacionales o independientes se había producido un impacto popular: *El puente* de Carlos Gorostiza, y el mismo, rompiendo la hasta entonces infranqueable barrera que separaba los grupos despectivamente calificados como "aficionados" y el teatro profesional adocenado e irredimible, se instalaba con igual éxito en una sala comercial.

Indudablemente ése fue un hecho premonitorio. Intensificado el proceso desde 1955, se advirtió entre las dos modalidades de actividad teatral argentina —hablo del buen teatro— menor distanciamiento, y si se alentaron esperanzas de recuperación para la escena profesional, se debieron en gran parte a la influencia de la rama independiente que ha aportado sentido de responsabilidad, disposición para el estudio, inquietudes renovadoras, plumas creadoras, sentido del teatro como integración, como equipo. El teatro comercial no ha logrado todavía desprenderse totalmente del lastre del "divismo", de las cadenas económicas, de ciertas plumas venales, de trabas gremialistas ajenas a la vocación artística. Gravitan aún en él autores que sirven al mal gusto populachero y que acuden a las viejas recetas de títulos en pareados y *claques* instruidas para subrayar latiguillos patrioteros y alevosías sentimentales. Lamentablemente, la crisis económica que sufre el país, intensificada desde 1966, ha asestado rudo golpe a los teatros independientes y hoy, 1967, ha retraído sus actividades de manera alarmante.

A lo largo del primer lustro del lapso que abarca este capítulo, el teatro comercial circunscribe el acervo autoral a unas pocas firmas, que parecieran ser las únicas existentes. ¿Cómo explicar el silencio de valiosos dramaturgos de larga experiencia? ¿Quiénes estrenan? ¿Los que pueden asegurar la taquilla, los que poseen salvoconductos políticos, los que se adaptan a ciertas modas? Es difícil explicar este fenómeno porque, de vez en cuando, asoma la aventura empresaria de lanzar una firma nueva, pero siempre con la pretensión de que una sola obra abarque el todo de una temporada. Mueven a ello razones de economía, problemas gremiales, escasez de salas, incertidumbre en los módulos sociales, financieros y políticos del país.

La actividad es constante, pero irregular en calidad, confusa en principios orientadores. Resulta arduo agrupar y deslindar de entre su maraña, planteos, corrientes estéticas y cánones, salvo la definida perfilación de un teatro social, a partir de 1956, diferente del que fuera teatro

Literatura dramática argentina

militante de tesis social hasta 1930, pues convierte la escena no en cátedra, sino en púlpito, en instrumento proselitista. Más claro, en cuanto a derroteros, se vislumbra la creación dramática que se cumple a partir de 1960.

Asimismo, frente a un teatro *comprometido*, se insinúan, por una parte, una corriente de autores y obras que comprenden el hecho dramático como un juego que instala al espectador en un mundo especial; juego que escapa al realismo fotográfico y se maneja por sugestiones de toda índole, verdaderas metáforas escénicas en las cuales gravitan evidentes influjos de la técnica expresionista. Por otra parte, en años recientes, un grupo de autores jóvenes capta con nuevas técnicas, a las cuales no es ajeno el viejo realismo, la idiosincrasia del hombre argentino actual, otra vez con preferencia, del porteño actual.

Por último, en ese intrincado conjunto de la vida teatral, otro deslinde posible sería, nuevamente, el de los hombres de letras que se acercan al teatro para tentar la aventura escénica.

Desde luego estas agrupaciones son forzadas y arbitrarias, razón por la cual, sin perderlas de vista como puntos de referencia, he preferido para este capítulo la crónica panorámica, en la más elemental disposición cronológica.

2. *Años de heterogénea producción*

En el difícil clima político-social del año 1949, el teatro cerraba sus temporadas con pobre balance y la creación dramática descendía a lamentables niveles. La sala de la Comedia Nacional ofrecía una "farsa y misterio" de ribetes espectaculares: *El calendario que perdió siete días*, de Enrique Suárez de Deza, autor que en aquellos días se mostraría prolífico. Los viejos batalladores de la comedia blanca, Goicoechea y Cordone, se desvaían en un juguete cómico intrascendente: *Renata me ha dado un hijo*; Malfatti e Insausti daban pie a una actriz identificada con el estereotipo de un personaje, Paulina Singerman, para reeditar otra de las sobadas "niñas mal" de su preferencia, en *Esposa último modelo*. En cambio, con fallida aspiración de teatro social, Jorge Newton pagaba derecho de primerizo con *Clase media*, tres actos confusamente convenientes a la intención política gobernante.

Roberto A. Tálice, a menudo más inquieto que acertado, inaugura la temporada nacional de 1950 con el monodrama masculino: *Tempestad*, tan poco feliz en lo teatral como abundante en citas literarias. Y en tren de originalidades, Suárez de Deza inicia una retahila de experimentos escénicos con *Las furias*, drama de cinco únicos personajes femeninos, teatralmente desequilibrado, áspero y cruel, al que sigue *La página en blanco*, donde dramatiza una leyenda esotérica circulada en diversas épocas en Buenos Aires —también narrada por Alonso Zamora Vicente— referente a la presencia en un baile, durante una noche tormentosa, de una muchacha muerta tiempo atrás. Su pareja, al concluir la fiesta y no ser admitido como acompañante, le ofrece una capa de lluvia para que se proteja, la cual es hallada luego junto a la tumba de la difunta. Tampoco dio aquí el autor cuanto de él y del asunto se esperaba; pero insiste por tercera vez en la temporada con una comedia sobre el tema de la infidelidad, con tratamiento apto para Paulina Singerman: *Catalina no me llores*. Y todavía volverá a un teatro oficial en esta temporada con una cuarta y aparatosa pieza: *Casa de reyes*, aletazo del problema del Segismundo calderoniano, aunque nuevamente sin equilibrio.

En abril de 1950, Carlos Gorostiza produce la primera decepción a quienes *El puente* había esperanzado como revelación de un futuro gran autor. *El fabricante de piolín*, su nuevo ensayo, falla en la pintura de caracteres, y en los momentos en que se aparta del realismo directo —que parece

Literatura dramática argentina

ser el fuerte de Gorostiza— para elevarse a consideraciones generales, suena a hueco. Así ocurrirá también en otras piezas posteriores de este autor: cuando es fotográfico y usa la técnica del "grabador", su teatro marcha —el ejemplo de *Marta Ferrari* (1954) es claro—; cuando aborda tesis o vetas discursivas, flaquea. Con *El juicio* (1954) entregará Gorostiza otro mecanismo de anversos y reversos que recuerda el de *El puente*, y con él uno de sus trabajos más logrados. En *El reloj de Baltasar* (1956), el motivo ingenioso del personaje que cree haber vivido demasiado y busca quien le proporcione muerte natural, también flaquea en su faz conceptualista. Y, a mi modo de ver, aunque la crítica en general haya opinado lo contrario, en *El pan de la locura* (1958), también se reiteran visiblemente las dos fases de sus ritmos creadores. *Vivir aquí* (1964), obra realista, resulta dilatada y algo reiterada; tiene intensidad dramática en el tratamiento del tema de los desencuentros generacionales y de la incomunicación. *Los prójimos* (1966) es un feliz ejemplo de transformación de los aspectos de la vida prosaica y doméstica convertidos en hecho teatral.

Frente a la vacilante intentona del novel, en aquel año de 1950 vuelve a afrontar el veredicto del público un veterano de la escena criolla, tras quince años de silencio. Es José León Pagano, quien sostendrá la temporada del teatro Liceo con *El rescate*, comedia dramática donde al plantear el caso de la caída de una mujer por resentimiento, alía emoción y teatralidad, arte y calidad literaria, blasones de su extenso repertorio. Al año siguiente, Pagano sacará del cajón del olvido los originales de *El secreto*, comedia que si de escasa acción, se muestra sobrada de buen diálogo y destreza dramática *belle époque*. A través de *El rescate* y *El secreto*, la técnica de un fogueado autor a quien podía sospecharse fuera de la sensibilidad del espectador moderno, sobrelleva enhiesta dos pingües temporadas. Menor fortuna tuvo su aporte de 1952, que serviría al definitivo adiós que su sobrina, la inolvidable Angelina Pagano, daría al público porteño. Se trata de *Dos mujeres en una imagen*, comedia sentimental que deja ver, por algunas resquebrajaduras, andamiajes y entretelas. Pagano dejó otras piezas teatrales, algunas editadas, que no llegaron a la escena, entre ellas: *El rubí encendido, El retorno, El espejo invisible, Hoy como ayer igual que mañana, La venganza de Afrodita, El día de la ira.*

María Luz Regaz y Juan Albornoz —seudónimo éste del médico Juan Reforzo Membrives—, en 1950, escribieron la pieza *Cervantes en Neuquén*, seguramente inspirada en algún caso clínico de los que a diario desfilan por el consultorio endocrinológico de uno de los autores, pero resuelta escénicamente con rozados tintes de comedia con *happy-end*.

Entre el recuerdo de la mucha mediocridad padecida por el teatro de Buenos Aires en aquellos días, hay una circunstancia que al encabalgar escena profesional y escena libre, merece particular mención. Antonio Cunill Cabanillas, maestro de actores, fundador del Instituto Nacional de Estudios de Teatro, autor de piezas inquietas como: *Ni tú ni ella, Comedia sin título, Chaco* y *Tú mandas*, reúne un elenco con alumnos del Conservatorio y algunos profesionales, para representar la obra póstuma de Román Gómez Masía: *La isla de gente hermosa*, pulcra y optimista versión de problemas juveniles. Desde entonces comenzarán a ser familiares en las carteleras, nombres como los de Fina Wasserman, Norma Giménez, Alejandra Sanda, Alfredo Alcón, Ariel Absalón, Darío Garzay, etcétera.

Al escritor entrerriano Aníbal Chizzini Merlo cupo, en 1950, el estreno de autor novel en la comedia oficial de Buenos Aires, con *En la tierra del santero y del virrey*, pieza en verso, de ambiente colonial y mejores propósitos que realización.

Llega también aquí el turno a las damas: *Entre tú y yo... el otro*, de Alcira Olivé, soslaya el tema del recuerdo de un padre muerto, gravitante en la convivencia, armonía, y edu-

Literatura dramática argentina

cación familiar como en el ulterior destino sentimental de una viuda. Con firme paso Alcira Olivé tornará en 1952 para estrenar *¿Por qué te casaste conmigo?*, farsa audaz, graciosa y de convincente estructura teatral. Mercedes Bebán da a conocer *Desconcierto*, pieza algo lenta, literariamente ambiciosa al plantear la psicología de tres mujeres en torno de la existencia de un músico.

Frente al teatro comercial, la línea independiente y vocacional, si bien hacia 1950 en la actitud de atender particularmente experiencias extranjeras, intenta algunos ensayos nacionales esporádicos que tienen la inquietud de la búsqueda, del tanteo entre nieblas de incertidumbre social y política. Requisitos ante oficinas policiales y suspicacias de Servicios de Informaciones entorpecen frecuentemente un desarrollo que empieza a encontrar apoyo en diarios y semanarios. En esta línea, Pablo Palant estrena, en mayo de 1950, *El cerco*, tragedia de desencuentros, con un conjunto no profesional en el cual figuran Roberto Durán, Carlos Thompson, Marta Quinteros, etc. Pieza de enmarañado planteo existencial, entre bordes de Kafka y Sartre, envuelve en una atmósfera de tragedia sexual, con retardada dinámica escénica. Palant poseía ya definida trayectoria entre los autores jóvenes, a través de *Diez horas de vida* (1938), *Jan es antisemita* (1939), *La huída* (1942) y en la cual *Los días del odio* (1946), hondo drama que entrelaza problemas de juventud incomprendida y politiquería criolla, dijo de una capacidad que luego confirmarán los lauros conferidos a *La dicha impía*, en 1956, y hasta los desacuerdos promovidos por *El escarabajo* (1959). El teatro de Palant escapa a la gratuidad esteticista y prefiere el mensaje que irrumpe desde hondo conflicto dramático.

Otros estrenos de elencos libres pasaron sin pena ni gloria, comprensiblemente en unos casos, en otros, no. Así: *Fantasía y formalidad*, de Octavio Lontiel; *Luna quebrada*, de J. Armagno Cosentino; *El comerciante que hizo llorar al demonio*, de Aldo Ottolenghi; *La herencia*, de Tulio Carella, autor que en 1940, había recibido en la comedia oficial singular espaldarazo con *Don Basilio mal casado*, apagando lentamente el deslumbramiento producido por esa notable farsa, con *Coralinda* y otras que le siguieron; *Gudruna Togstad, capitana*, de Ilka Krupin; hasta llegar a la presencia de *Bonome*, farsa de Aurelio Ferretti, dada a conocer junto con *Bertina y Bertón* del mismo autor, dos deliciosos absurdos escénicos.

Ferretti, después de su primer estreno: *La multitud* (1945), hondo drama de anticipación, permaneció fiel a una línea farsesca, de coruscante diálogo, manejado con ingenio e impregnado de tierna poesía. Creo que el más próximo antecedente local de esta modalidad teatral de burbujeante *sprit* fue el malogrado Enrique Guastavino; y sus herederos, el Atilio Betti de *Farsa del corazón* y Aurelio Ferretti. En la sucesión farsesca de Ferretti —*Farsa del héroe y del villano, Bonome, Bertina y Bertón, Farsa de farsas, Farsa del cajero que fue hasta la esquina, Las bodas del diablo, Fidela*— hay un motivo central reiterado y en él nunca se sabe exactamente dónde acaba la ficción, dónde comienza la vida, la realidad. Aplicándolo a diversos asuntos, a veces desde la refracción del absurdo, las piezas de Ferretti, trascendentes y profundas, llegaron, sin embargo, al espectador con cosquilleante efervescencia y levedad de fiesta. Cuando le sorprendió la muerte, Ferretti orientaba sus farsas hacia otras perspectivas, según lo prueban *Histrión, La cama y el sofá, El café de Euterpe, la pasión de Justo Pómez* y *¡Pum... en el ojo!*

Roberto Tálice, en colaboración con Eliseo Montaine, vuelve a marcar el comienzo de temporada nacional, en 1951, al estrenar *El hombre prohibido*, de erotismo denso, con un segundo acto muy efectista y dramático desenlace. Los mismos autores serán quienes ofrezcan ese año una comedia menos áspera: *Cuatro en el paraíso*.

El trillado motivo del verdulero italiano, inmigrante enriquecido cuyos descendientes criollos presumen aristocracia y dilapidan bienes costosamente amasados, agotado por el

Literatura dramática argentina

género chico, sirvió a Héctor Llan de Roso para no esforzarse demasiado en el propósito de recomponer una pieza a medida de los intérpretes del Teatro Municipal. Tampoco se vislumbraron mayores inquietudes en la posterior, pero más envejecida: *Mintiendo se vive... sigamos mintiendo*.

Al finalizar la temporada de 1950 ya habían sido evidentes los propósitos del régimen político imperante de dominar y orientar la vida teatral, apoderándose de los mejores teatros para usarlos según fines extra artísticos. Ello promovió un desplazamiento de intereses que decidió a algunos empresarios a utilizar salas menos codiciables. De ese modo, un antiguo *cabaret* se convertía en el Teatro Ariel. Con buen gusto y señorío en los detalles de la refacción, poco después se libraba al público el Teatro Versailles, antiguo cinematógrafo, con el estreno de una no menos fina y señorial comedia póstuma de Pedro Pico: *Agua en las manos*, hecho acerca del cual, señalando por contraste la profunda convulsión social que vivía el país, destacó titularmente un diario oficialista así: "Tono y gusto del barrio Norte".

La temporada de la Comedia Nacional se inauguró ese año con el primer ejercicio escénico del poeta Leopoldo Marechal: *Antígona Vélez*, mezcla de antiguos temas griegos e historia criolla del año 1820, que aún no podía hacer sospechar la enorme caída que aguardaba al coliseo oficial, con el siguiente estreno, seudocomedia cuya paternidad se atribuyó en los rumores populares a un ministro del régimen y de la que ni el título vale la pena citar. Marechal insistirá con otro ensayo teatral en las reminiscencias helénicas; esta vez en el tono farsesco de *Las tres caras de Venus*, aunque con altibajos y características experimentales semejantes a los de la primera tragedia. En cambio, en 1967, en *La batalla de Juan Luna* mezclará elementales teologías con reminiscencias saineteriles.

Para dar oportunidad de lucimiento a la habilidad de un actor —Narciso Ibáñez Menta— como concertador y maquillador, Suárez de Deza le entrega el abigarrado cajón de sastre: *F. B.*, reportaje sensacional en tres actos, con cinco escenarios simultáneos. La cuota anual de María Luz Regás y Juan Albornoz corresponde, en 1951, a *El mal amor*, pieza que repitiendo el ejemplo de Marechal, quien acudió al tema de *Antígona*, a su vez merodea el de la *Fedra*, de Eurípides, si bien con derivaciones al melodrama.

La creación dramática nacional en la escena libre comenzó, en 1951, con *Desnuda de silencio*, de J. Armagno Cosentino, frustrada en posibilidades. En ese año se inician las "aventuras escénicas" —no sé si llamarlas teatro— del malogrado poeta J. González Carballo. Colorida, fresca y emotiva es la evocación, en dos actos y siete cuadros, compuesta sobre motivos del Centenario, que tituló: *Arrabal de Carriego*. Ternura y poesía se conjugan en *Cuando estuve en Belén*, retablo navideño; lo mismo que en *Cornamusa*, sugerente y traspuesta evocación del payaso Frank Brown y sus circos.

También en la vertiente de la dramática no comercial, la temporada de 1951 acoge a un autor que tomará decididamente una línea personal, a la vez de levantadas miras literarias, sabor autóctono y eco popular. Se trata del santafesino Carlos Carlino, quien da a conocer en el Teatro del Pueblo, *Tierra del destino*, conmovedora reedición del viejo tema de "alabanza del campo y menosprecio de la Corte", a la que seguirá *La Biunda* (1953), auténtica tragedia, conciliadora del más puro entronque dramático criolla y las tradiciones del género, y legítima pieza de antología en el acervo dramático nacional. Una dimensión humana del campo argentino alienta en buena parte de la producción literaria de este autor, poeta y dramaturgo, que después de largo silencio volverá, en 1951, con *Un viaje por un sueño*, conflicto fraterno enmarcado de fatalidad. Desde el libro han llegado al público otras obras de Carlino, entre ellas: *Un cabello sobre la almohada* y *Esa vieja serpiente engañadora*.

Es interesante verificar cómo ya en este tiempo la actividad teatral independiente va ganando adeptos y forma una corriente de público intelectual, atraído por sus calidades. Sin embargo, no abundan todavía en su órbita los estrenos nacionales, pues sus elencos acuden a la permanente revisión del repertorio universal, clásicos incluidos. Al finalizar el año, en un balance sobre la labor de la escena libre, que Francisco Javier publica en el diario *Clarín* (16/12/1951), manifiesta: "La primera característica que habla muy en favor de dichos conjuntos es la siguiente: la labor de los teatros libres significa para Buenos Aires la posibilidad de entrar en contacto con obras de resonancia mundial o de indiscutible calidad, modernas o clásicas". Y más adelante: "Antes de entrar a recordar los espectáculos presentados durante el año, señalaremos otra característica: la ausencia de autores noveles... Sobre todo si se tiene en cuenta que la presentación de autores, el descubrimiento de obras, es la labor de la escena libre".

Hoy —con casi quince años de distanciamiento— el fenómeno se aprecia con bastante claridad si se lo compara con lo que alguna vez fue el teatro argentino. La *pléyade* autoral de la década de oro, a principios de siglo, se manifestó cuando hubo intérpretes consonantes con su sensibilidad, público y crítica, que acogieron las producciones. La decadencia de la escena criolla a partir de 1930 se señala con el divorcio de los intérpretes frente a otra disposición espiritual del público, con el adocenamiento técnico y creador de los autores. Los días del teatro independiente que van entre 1950 y 1955 fueron los de maduración de intérpretes, de orientación de una corriente de espectadores, de afirmación de una nueva conciencia teatral donde el sentido realista-naturalista de la generación anterior cedió paso a una dramática de metáforas escénicas y de sugerencias, con evidentes signos de la influencia doctrinaria y técnica de Gordon Craig y del expresionismo. A esa dramaturgia de sugerencias, seguirá el "teatro del grabador".

Diez años había permanecido alejado del contacto con el público Samuel Eichelbaum, cuando en 1952, Rosa Rosen y Guillermo Battaglia le estrenan *Rostro perdido*, en plena canícula estival. El intenso conflicto dramático, el clima que se crea y la resolución dramática de la pieza mostraron que eu autor de *La mal sed* no había perdido la mano ni prestigio.

Mi amor y mi culpa, de Tálice, inicia la temporada comercial de 1952, en la cual la llegada de Abel Santa Cruz con *Los ojos llenos de amor* será testimonio de otra posibilidad —refirmada a poco con *Los maridos de mamá*— que con el andar del tiempo se lamentará como frustrada para el alto vuelo de la dramática nacional, aunque Santa Cruz acapare salas y carteles con piezas bien dosificadas de ingenio y sentimentalismo fácil, en reiterada y rendidora receta de teatro "digestivo". Arturo Cerretani orilla el género policial en *Delito frente al mar*. Carlos Olivari y Sixto Pondal Ríos, distantes de la cuerda pulsada en *La tercera invasión inglesa*, insisten en un teatro epidérmico: *Cuando las mujeres dicen sí* (1952), *Las lágrimas también se secan* (1953) y *Sandra* (1955) suman títulos a su repertorio, no a sus lauros que, en cambio, reverdecen en algunos libretos cinematográficos. Un nuevo trabajo de Tálice vuelve a quedar a mitad de camino: *El ladrón del mar*, de esfumado aire histórico. Con él cierra la nómina de estrenos la dramática profesional de 1952.

3. *Interferencias extrateatrales*

A partir de dicho año, algunos conjuntos independientes deciden afirmar una provechosa conducta, cuyos frutos ulteriores son innegables: tomar mayores contactos entre sí, estrechar filas entre agrupaciones afines, sobre todo ante indicios evidentes de que al núcleo gobernante del país parece interesarle, también, copar la escena libre. Así, por ejemplo, facilitada por Teatro del Pueblo, la presentación del elenco

Literatura dramática argentina

rosarino "Las cuatro tablas", se tiene oportunidad de conocer una obra audaz sobre el tema de la homosexualidad, quizás tan narrado como recostado en Freud: *La lombriz*, que incorporará a la literatura dramática argentina un nombre identificable con trabajos ambiciosos: el de Julio Imbert. Otro conjunto rosarino, un año después, y en la misma escena, representará *Este lugar tiene cien fuegos*, del mismo autor, con tema no menos inquietante en motivaciones de hastío e introversión y parecidos traspiés escénicos que la anterior. En el repertorio de Imbert, además, son de recordación: *La mano, El reloj que no mide el tiempo, La punta del alfiler, Los navegantes del Génesis, El diablo despide luz, El diente, Electra, La noche más larga del año*. Apartándose de sus pautas habituales, Imbert compuso, en 1967, un drama histórico sobre el tema de *Camila O'Gorman*. También de confines psicológicos, *Fábula del sueño* constituyó una breve experiencia teatral de Osvaldo Svanascini, de eco metafísico.

Otro nombre consagrará la escena independiente en 1952: el del médico y catedrático que se oculta tras el seudónimo de Juan Carlos Ferrari, autor de *Este camino difícil*, estampas del cotidiano andar porteño rescatadas de lo fotográfico por hábil juego de sugerencias y difícil aparato escénico, que en ningún momento retacearon su sabor popular. Ferrari, a lo largo de una feliz producción ha revelado integral concepción del hecho escénico como espectáculo-fiesta, de auténtico carácter local y artístico. Así *El mazorquero, Historia de verano, La Ñata, Las campanas de Verona, Canasta, Las nueve tías de Apolo, Petit Hotel, Las ranas salen de noche, Los culpables*.

El teatro y la literatura dramática padecen, hacia 1953, la intensidad de la crisis que aqueja a toda la cultura nacional. Aunque el *slogan*: "Alpargatas sí, libros no", haya quedado por entonces relegado, una asfixiante tergiversación de lo popular gravita en lo teatral. El gobierno, además, ha declarado que comenzará a "proteger" al teatro. Ya se sabe qué

175

significa esa protección en los regímenes totalitarios. Y un funcionario, en una conferencia después profusamente distribuida en folleto, acomoda *pro domo sua* una historia de la escena criolla para concluir que *El patio de la Morocha* es el primer paso firme del "teatro argentino para la nueva Argentina". Los estrenos, aun los mediocres, escasean; las reposiciones y traducciones de éxitos probados abundan, hasta en los teatros oficiales. Por vía burocrática comienza una campaña de fácil popularismo escénico con el repertorio de viejos sainetes ciudadanos.

Inevitable inauguración de temporada nacional, una comedia de Tálice y Montaine: *El amor comienza mañana* deja la falsa sensación de una corriente de creación dramática en marcha, cuando, en realidad, las carteleras profesionales acusan siempre los mismos rubros e idénticos recursos desflecados. Nuevamente Suárez de Deza con otro engendro de ribetes cinematográficos, *El carro de la basura*; Abel Santa Cruz con la esgrima verbal de molde radiofónico de *Llueven ladrones del cielo*, *Mi marido hoy duerme en casa* y *Hay que bañar al nene*; María Luz Regás y Juan Albornoz, con la efectista *Rueda de amantes*; otra vez Tálice con *La machorra*, todas piezas prefabricadas a la hechura de quienes fueron sus intérpretes.

En 1953 se juzgó el único ensayo teatral de Antonio Pagés Larraya: *Santos Vega*, escenificación del mito criollo con buena miga literaria. También literario resultó el "misterio" de Helvio Botana: *Los hilos invisibles*, teatro sin teatro, según se dijo de él. Sin embargo, Botana tenía anterior experiencia escénica, pues había estrenado en el Teatro del Pueblo, en 1943, *El alma de Maruff*. Luego, en 1955, escenificó *Vía crucis*.

En la línea independiente, en 1953, Antonio Aliandro aportó *El fabricante de ojos*, drama contenido, promisorio; *Farsa del corazón*, de Atilio Betti, fue uno de los impactos de la escena libre en el orden nacional, revelador de un poeta del teatro que ofrece el ejemplo no corriente de creador dramático fiel a una concepción estético-filosófica del arte, aún no seducido por el señuelo de transformar la escena en púlpito o barricada ni por el relumbrón de fáciles mesianismos o la venal mercantilización. Los lauros que alcanza con *Farsa del corazón* se refirman y reiteran con *Francisco Bernardone*, llegada a escena tardíamente, *El buen glotón, El nuevo David, Maese amor, El juego de la virtud* y *Fundación del desengaño*, ejercicios de un buen teatro que aspira a experiencias diferentes, despojado de anécdota, rico en abstracciones.

María Rubertino asoma en "La Cortina" con *Está en nosotros*, drama de amor bordado con lenguaje teatral, del que había anticipos en *El silencio* (1946) y refirmaciones, más tarde, en *La cesta, El encuentro, El regreso, El cerco roto*.

Ese año de 1953, los *habitués* a estrenos de la escena libre tuvieron dos gratas citas: una en la calle San Martín al 700, de Buenos Aires, donde recibidos con un cartelón que rezaba: "Debemos 230.000 pesos, contamos con una sala, una galería de arte y un deseo de superación...", el grupo Los Independientes les brindaban un local propio. Otra, en Montevideo al 300, también en Buenos Aires, en el Patagonia (ex Ariel), donde Nuevo Teatro aspiraba a ampliar horizontes en una etapa de ambicioso vuelo en su vida fértil; vuelo que por aquellos días, sin embargo, no llegaría lejos, pues sería interferido por una de las tantas secretarías gubernamentales al coparle la sala para sus fines. Con todo, en un desfile de teatros independientes que Nuevo Teatro alcanza a organizar, pudo conocerse, entre otras, *Un viejo olor a almendras amargas*, versión del libro policial de Abel Mateo.

Por lo que atañe a Los Independientes, la primera pieza nacional que afirman es, al mismo tiempo, proposición de otro autor que se incorporará definitivamente al historial de la dramática criolla. Me refiero a *Una libra de carne* y a

Agustín Cuzzani. Apelando, en parte, al conocido pasaje judicial de *El mercader de Venecia*, la pieza de Cuzzani adquiere en tono de farsa la proyección de una sátira de la vida ciudadana, de la mediocridad de una burguesía decadente, de una clase media sin reservas para la lucha, a merced de la usura. Desde su iniciación, Cuzzani se lanza a delinear una dramática comprometida frente al medio social y en lo ideológico, amojonada por *El centre-forward murió al amanecer* (1955), *Sempronio* (1957), *Los indios estaban cabreros* (1958), *Para que se cumplan las escrituras* (1965), piezas donde la frontera entre el disloque escénico y la caricatura peligra en convertirse en línea del menor esfuerzo para un ingenio bien dotado.

En otro plano, Arturo Berenguer Carisomo hace poesía escénica de aire féerico y brumoso en *Hay que salvar la primavera*, pieza seleccionada en un mentado certamen de Argentores, en 1946. Más tarde ensayará la farsa, "scherzo sin malicia ni propósito oculto", con *Los héroes deben estar muertos* (1957) y con *Cenicienta calza el 34* (1959).

También juego de leyendas con radicación rural, sequía, magia y símbolos alentaba poéticamente a *Amero*, de Patricio Sosa. Y en tren de acentos literarios, Raúl Larra teatralizaba *El casamiento de Laucha*, de Roberto J. Payró; Bernardo Canal Feijoo, ausente de los escenarios después de la añorada *Pasión y muerte de Silverio Leguizamón*, reunía magníficamente *Los casos de Juan*, otras expresiones de la picardía criolla que el elenco de Fray Mocho representaba por primera vez, lejos de la mirada policial porteña, en un almacén de la localidad bonaerense de Reynoso. Y cuando, en 1963, Canal Feijoo estrenó *Tungasuka* dejó entrever qué posibilidades dramáticas ofrecía el teatro trágico de inspiración indoamericana.

Para consolidar el importante aporte a la dramática nacional que, en 1954, se canaliza a través de la escena libre, un conjunto de Paraná estrena en Buenos Aires la primera obra teatral de Juan Carlos Ghiano: *La casa de los Montoya*, poema escénico donde algunos reflejos d'annunzianos y valleinclanescos no son obstáculo para descubrir la disposición dramática que exhibirá posteriormente *Narcisa Garay, mujer para llorar* (1959), tragicomedia anunciadora de nuevos tratamientos escénicos para la temática popular suburbana. *La Moreira* (1963), brochazo dramático, primera incursión de Ghiano en la escena comercial, abre un compás de espera en su destino de comediógrafo; compás que aún deja abierto la comedia *Testigos* (1967) y dos obras impresas *Antiyer* y *Corazón de Tango*, pero no estrenadas.

Frente a los indiscutibles valores aportados por la escena independiente, la temporada comercial de 1954 dejó un saldo artístico menos alentador. De *El águila herida*, primera pieza de Mauricio Rosenthal, queda un acto inicial con buenos materiales, desaprovechados en los restantes. En los productos moldeados en serie por la pluma de Abel Santa Cruz: *Pequemos un poquito, Préstame tu novia, De noche también se duerme*, se registra un pequeño aumento —no mucho— en las dosis de escabrosidad de la receta habitual. De los consecuentes comediógrafos Darthés y Damel, *¡Qué pequeño era mi mundo!* se sostiene por el oficio de sus autores en un tono familiar, equilibrado, en una limpia factura; como en temporadas siguientes ocurre con *Escalera a dos puntas* y *Envidia*. De la teatralización de *El último perro*, novela de Guillermo House, sale bien parada la responsabilidad de Carlos Gorostiza, pero afectada la independencia del arte escénico criollo por el discurso previo al estreno de un miembro de la Comisión de Cultura. Para la primaria *Andrea*, de Suárez de Deza, no hubo atenuantes ni en la publicidad que le significó un conflicto con Argentores. Desde *Un metro cuadrado de cielo*, del novel Roberto Sardá, la vieja casa de inquilinato porteña muestra sobreviviente sordidez, aun dentro de un pretendido tratamiento moderno.

Iguales características perduran en las primeras manifestaciones de la temporada profesional de 1955. El equipo Regás-Albornoz hace sonreír a espectadores que ya no están para risas mediante *Alicia, su marido y el fantasma*. Raúl Doblas, ausente durante mucho tiempo del teatro dramático, retorna con *Mulata*, tan sombría como los días que se viven en el país, y teatralmente eficaz.

Pero la escena profesional recibe ese año una contribución de levantadas miras con *El corazón extraviado*, drama histórico de Alberto de Zavalía. Zavalía había colaborado anteriormente con Luis de Elizalde en la comedia sofisticada *El balcón de Julieta*. A pesar de ciertas fallas de oficio, *El corazón extraviado* deja entrever a un dramaturgo ambicioso, que probará luego firmeza de concepción en *La espada* (1956), conflicto entre la pureza casi irreal de una niña, que parece emanada de las novelas de Richardson, y el mundo despiadado: firmeza que da vibración al drama, aun entre primarios convencionalismos. *El límite* (1959) exalta el tema de la libertad con tesitura tribunicia. La elocuencia en que se enmarca su protagonista impulsa a un verbalismo poético de noble calidad literaria y su levadura vivencial, al excederla del encuadre histórico, refleja el elemento trágico propiamente dicho que la "heroifica". El escamoteo de los ritmos teatrales se suple con emociones legítimas, que señalan a Zavalía como dramaturgo responsable. Escribió, además, *El octavo día, La doncella prodigiosa*.

Alicia y Bernardo Aliber se inician con *Sabotaje en el infierno*, idea original malograda por ingenua realización, rasgos que tienden a equilibrarse en los siguientes estrenos de estos autores: *De una sola pieza* (1956) y *Caza de herederos* (1958).

Cuando a mediados de 1955, entre la incertidumbre de bombardeos revolucionarios que sufre el centro de la capital argentina, un elenco libre estrena *Dos brazas*, de Samuel Eichelbaum, con razón podrá escribir un crítico que la em-

Literatura dramática argentina

presa de la compañía independiente "mueve a reflexiones vinculadas con el estado actual de nuestro teatro, cuya síntesis podría traducirse en una verdadera acta de acusación contra aquellos artistas profesionales que no sufrieron o no quisieron estrenar esta obra admirable del primero de nuestros dramaturgos". *Dos brasas*, drama de la codicia, hondo, construido con mano firme y directa efectividad, quedó un tanto postergado. Quizás la inquietud que vivía la población porteña en aquellos días finales de un régimen gobernante conculcador del individualismo congénito de los argentinos, fue escollo para el verdadero éxito de público que merecía el drama de Eichelbaum, como lo fue también para la fiesta escénica que Juan Carlos Gené urdió con *El herrero y el diablo*, al adaptar uno de los relatos de *Don Segundo Sombra*, de Güiraldes y que, al reponerse en 1957, daría oportunidad para la inauguración del Teatro San Telmo. Doce años habrán de transcurrir para que Gené ensaye, nuevamente con éxito, la creación dramática con *Se acabó la diversión* (1967).

En parecido proceso de interferencia entre escena profesional y libre, *Pasión de Florencio Sánchez*, biografía que escenificó Wilfredo Jiménez, corporificaba fielmente los datos conocidos sobre aquél.

4. *Después de la revolución de 1955*

Cuando en setiembre de 1955 se producen los acontecimientos que derrocan al régimen político imperante desde 1943, el país desde los puntos de vista humano, generacional, sociopolítico y cultural vive un hecho insólito y tal vez pocas veces registrado en la historia del hombre y de sus cegueras e incomprensiones. Una revolución anhelada para reimplantar la libertad de los individuos, pero una revolución sin brújula, cae en manos de ambiciosos. Respirando libertad, la cultura y la vida intelectual, antes sumergidas, reflorecen; pero el país, en lo político, en lo social y en lo económico retrocede a la situación en que se hallaba en 1930, cuando otra revolución había roto la continuidad de las presidencias constitucionales, inaugurando años de oprobio y entrega que, en apariencia, concluyó el golpe de 1943. Y en medio de la complejidad de causas, problemas y consecuencias de ese retroceso, una muy simple, pero resorte fundamental, no puede ser ignorada como razón profunda: la revolución de 1955 rompió la natural dinámica generacional, forzando una involución que retrotrajo al país, poniendo su conducción en las manos y en la sensibilidad de una generación ya caducada en 1943. Porque se saltearon las generaciones que en 1955 debían pasar del estado de gestación al de gestión, porque fueron salteadas e ignoradas las generaciones que debían asumir la responsabilidad naturalmente conductora del país; el síntoma más palpable que se registra a través de la década 1955-1965 es la profunda incomprensión entre jóvenes y no jóvenes, abismo de hondura nunca advertida en la historia nacional.

Otro síntoma visible y natural de una revolución que llevó de la conculcación de toda libertad, especialmente la de expresión, a la posibilidad del pensamiento libre, fue una total politización de las ideas y de la cultura. En tal sentido, la dramática dio el primer paso, para el cual en cierto modo se venía preparando, dando nueva vida al teatro-crónica, el inspirado en la actualidad inmediata. Éste retoma, primero, una especie que fuera proscripta de los tablados por un sistema político temeroso del ingenio: la sátira política; pero, lamentablemente, cumplida en ese retorno la etapa de desahogo y de enjuiciamiento del pasado político inmediato, se orienta en el más deprimente sentido comercial manejada por los eternos arrivistas del teatro y no exhibe en sus recursos el menor indicio de renovación de cuanto ya diera antes del largo silencio.

En cambio, segundo aspecto del fenómeno, en la escena no profesional y entre los autores más jóvenes que van surgiendo,

Literatura dramática argentina

la politización se orienta socialmente hacia las izquierdas, perfilando una dramática comprometida.

Retomando la crónica, cabe señalar el primer hecho significativo para la literatura dramática, después de la revolución de setiembre: precedido por la expectativa creada por la suerte operística de *Proserpina y el extranjero*, en Milán, hace su estreno porteño Omar del Carlo con *El jardín de la ceniza*, drama de difícil realización, elevadas miras, ahondante en el misterio de la caridad al conjugar intenciones metafísicas e historia de una aristocrática familia criolla, que deja saldo de buen teatro y la sensación de una experiencia distinta, pese a los atendibles reparos que se le formularon. Del Carlo reitera recursos corales, símbolos y proyecciones poéticas en *Donde la muerte clava sus banderas*, drama en el cual felices momentos de excelente teatro se alternan con paisajes reiterativos o de forzada conexión en un contexto fraccionario. Del Carlo es creador de refinado esteticismo; su erudición abarca amplio radio de cultura teatral y denodadamente procuró volcar todo ello en el alumbramiento de una alta expresión dramática que exprese lo vernáculo en proyección universal. Igual búsqueda de lo vernáculo, pero en distinta estratificación sociocultural y menor resonancia, intenta Rodolfo Kusch en *Tango mishio* (1955). Con eficacia escénica el sociólogo de *La seducción de la barbarie* recompone las piezas de puzzle de un suburbio convencional. En *Credo rante* (1958) con letra de tango indaga en el *fatum* del arrabal. *Leyenda de Juan Moreira* y *La muerte del Chaco* ahondan también con sino trágico, otra vertiente vernácula.

En 1956, una temporada comercial de nuevos autores se lleva a cabo en el Teatro Presidente Alvear, rescatado de las esferas gubernamentales. Allí estrena Miguel Bebán: *El carguero de las seis*, que se interna en un medio rural, enclavando una tragedia de trazos vanguardistas, aunque de diluida historia. Cuando, en 1958, Bebán vuelve a estrenar, en su drama *Dios y yo* se verifican progresos en el oficio, aunque esta vez aparezca temáticamente distante de la idiosincrasia criolla.

En dicha temporada, Malena Sándor ofrece *Y la respuesta fue dada*, cuya acción transcurre en Roma, entre una juventud desquiciada por la guerra. En esta pieza, sobrada de diálogo y complaciente en toques sentimentales, atrae lo vivo de las motivaciones sin fronteras geográficas; motivaciones curiosamente afines para la juventud de una Italia posfascista luego de la segunda guerra y para la de una Argentina, que salía de un régimen totalitario y de una revolución cruenta. Desde luego que Malena Sándor no era autora nueva; ya contaban en su legajo, como se recordará, *Yo me divorcio, papá* (1937), *Una mujer libre* (1938), *Yo soy la más fuerte* (1943), *Tu vida y la mía* (1945), *Penélope ya no teje* (1946), *Ella y Satán* (1948). Pero, exiliada del país, ocho años de vida europea (1948-1956) parecen haber prestado nuevo tono a su dramática.

El circo de oro, de Sergio Leonardo, fue el tercer estreno de aquella empresa del Teatro Alvear. El autor acude al *ballet* y números de picadero para integrar un espectáculo, ora demasiado conversado, ora esquemático en extremo. Leonardo había publicado, en 1940, el drama *La familia Herrera* y desarrollado más amplia labor como periodista y guionista cinematográfico.

En pos de inquietudes renovadoras, Conrado Nalé Roxlo —el de *La cola de la sirena, Una viuda difícil* y *El pacto de Cristina*— conjuga poesía y buen humor con un tema bíblico: *Judith y las rosas*, aunque por momentos se olvide del teatro. Al año siguiente, Nalé Roxlo insistirá en la prueba de diversos tonos escénicos con dos obras breves: *El neblí*, hermoso poema escénico de pretendido aire nórdico; y *El reencuentro*, áspero y realista brochazo de fuerza dramática, en cuerda desusada para el poeta humorista.

Maruja Gil Quesada, dúctil actriz que hiciera tímidos ensayos de comediógrafa, afronta doble responsabilidad de letra e interpretación de los tres actos de *Extraño equipaje*, proclives al melodrama finisecular.

La reapertura de la Comedia Nacional en el nuevo clima político-social vivido por el país desde 1955, se produce en octubre de 1956, en especiales circunstancias. Concluido el dirigismo estatal de tan lamentables consecuencias para la escena oficial; con el actor Orestes Caviglia, recuperado del exilio, como director, y con una obra primigenia de un poeta ilustre, fallecido un mes antes, público y crítica recibieron con especial disposición de ánimo *Facundo en la Ciudadela*, de Vicente Barbieri. Obra de un literato, aún no poseedor de los secretos del género dramático, en ella legítimos aciertos parciales —las cartas del primer acto, la prosa rítmica de los morenos, las agorerías, los toques sentimentales de Laura, el acento trágico, etc.— no logran conectarse en un todo armónico, pues se resiente por extensa y por la inexperiencia de quien la construyó.

Alberto Peyrou y Diego Santillán estrenan *Mutilados*, alegato contra los regímenes de fuerza, reciamente plasmado. Vito De Martini ofrece un monodrama en dos actos: *El sudor que brota despacio* y *La yegua de los ojos rosados*, otro monólogo compartido entre cuatro personajes, cuya temática amarga destila monótonamente sobre el espectador. En cambio *El aire y el asco* (1962) mostró con lenguaje nuestro una realidad y exigió una toma de conciencia sobre la misma. Juan Bautista Devoto y Alberto Sábato, prolíficos comediantes de La Plata, poco representados, imponen *Tres damas en la noche*, drama donde "las viejecitas aburridas" del título parecen nueva corporificación de las Parcas mitológicas: la señora Spinner teje con el hilo de la vida, la señora Read lee en el libro del destino, la señora Cutter lleva colgadas del cinto simbólicas tijeras.

Es evidente que, desde 1956, la antes espinosa frontera existente entre teatro profesional y escena libre, se va alisando, diluyendo aristas y fricciones. Intérpretes vocacionales se afirman en carteleras comerciales. Viejas promociones de actores y actrices se van eclipsando dando paso a nuevos valores, provenientes de la Escuela de Arte Dramático o de las escuelas de los teatros independientes. Y llegará el momento en que actores profesionales acudan a colaborar en elencos no comerciales. El sentido de estudio y responsabilidad que caracteriza a algunos conjuntos libres, así como el sentido del trabajo en equipo, sin astros ni estrellas, se contagia a los nuevos valores de la escena profesional. Con todo —lo mismo que en la órbita comercial—, entre los independientes, con más seguras aspiraciones y miras, hay decidida inclinación por la dramática foránea y vacilaciones en la elección de obras nacionales. Por ejemplo: premiada en un Concurso Internacional de Obras Teatrales, *Una mujer a la deriva*, de Tito Santoro, presentado por el Teatro Independiente Candilejas en sala comercial, muestra a un autor nuevo con técnica enmohecida. Santoro, en colaboración con su esposa, compuso otras comedias: *Prisionero del sexo*, *Rafael y compañía*, *Pecadoras* y *Flavia*, que ostentan también sendos premios. Otro tanto podría decirse de una pieza breve, de costumbrismo político, *La amansadora*, de Virginia Carreño, si no anticipara algunos valores que después lucirá la autora en *Subterráneo* (1957), con personajes bien observados y movidos en trama de sencillo realismo, no siempre amigo de la síntesis. Otro síntoma de desconcierto respecto del repertorio local acusado por la escena vocacional radica en un hecho que, desde otro punto de vista, es sumamente plausible: el reponer antiguos éxitos, sobre todo aquellos que fueron posibles en clima de libertad. Así vuelven a los escenarios: *Fosco o la dictadura prodigiosa*, de Marcelo Menasché; *Temístocles en Salamina*, de Román Gómez Masía; *El centre-foward murió al amanecer*, de A. Cuzzani. Un último pormenor de tales vacilaciones puede verse en este otro hecho: en los primeros días de 1957 se anuncia la posibilidad de estreno de *Los traidores*, obra de dos prestigiosos escritores: Silvina

Ocampo y Juan R. Wilcock, cuyo texto ya circulado en libro, difícil de trasladar a escena y de poético entramado, comportaba verdadera prueba de fuego para la escena libre. Sin embargo, la empresa fue abandonada.

En 1956 afronta los riesgos del estreno Osvaldo Dragún con *La peste viene de Melos*, asunto helénico de intensidad trágica bien dosificada en exaltación de libertad que cuenta aún entre lo mejor producido por Dragún. A él sigue la serie de *Historias para ser contadas*, influidas del concepto de "teatro épico" de Brecht y de su criterio de la *Verfremdungsefekt*; son éstas, de hecho, cuatro narraciones corporificadas, en las que a escena limpia —otra vez Brecht— los actores cuentan, realizan y se transforman en los distintos personajes que mencionan. No sé hasta qué punto Dragún tendrá conciencia de su ancestro. Se dijo, al tiempo del estreno, que sólo había visualizado un radio-relato donde la imaginación creadora del espectador quedaba desplazada por la visión del hecho, abstraída de su circunstancia. Pero muchos de los que vieron el espectáculo de la sucesión de personajes mimados por un actor, la alternancia épico-dramática, pensaron más que en Brecht, en Frégoli, en los *cantastori*, en romanceros y juglares de feria de las viejas aldeas europeas, en días anteriores a la segunda guerra. Dragún presenta, en julio de 1957, *Tupac-Amaruc*, drama estructurado de acuerdo con moldes habituales del teatro tradicional, que traía apasionamiento, aunque pobre información histórica. Nada nuevo significó *Historia de mi esquina*, sino el empalme con la intención de *El puente* hacia intentos posteriores, como *Fin de semana*, de Roberto Cossa y *Fin de diciembre*, de Ricardo Halac. Sin devolver las esperanzas nacidas en su primera pieza, Dragún produjo también *El jardín del infierno*, *Milagro en el mercado vivo* y *Nos dijeron que éramos inmortales*.

Precedido por éxitos en el género novelesco, David Viñas ensaya el drama, al estrenar *Sara Golpmann*, pieza donde dialectiza problemas raciales con planteo centralizado en la persona de una actriz hebrea en conflicto entre ascendientes apegados a las tradiciones judías y los reclamos de lo actual, de sus vínculos con un no-semita. Tema semejante, posteriormente, dará origen a una de las obras más logradas de la nueva dramática argentina: *Réquiem para un viernes a la noche*, de G. Rozenmacher.

Debe incluirse también en la serie de estrenos nacionales: *Sophie ou le bout du monde*, de Gloria Alcorta, pues si bien escrito en francés, su tema roza lo nacional con buenos aciertos parciales. En cambio, a pesar del lenguaje hampón, cuesta admitir lo vernáculo en los atisbos neorrealistas de *Podemos vivir*, pieza de Jaime J. Vieyra, convencional en fondo y forma. Tampoco fue feliz su diálogo *Primerísimo actor* (1959). Sin embargo, Vieyra maneja acertadamente la comedia blanca, según da prueba *Nada más que una calle azul*, que mencionara un concurso municipal junto con la farsa de Mario Trejo y Alberto Vanasco: *No hay piedad para Hamlet*, desconcertante en su estructura, donde un crimen cometido antes de levantarse el telón vuelve a realizarse, transformándose en símbolo de todo aquello que el hombre ve morir en su corazón. Ingenuo y absurdo concurren para que, entre sonrisas y perplejidades, el espectador se sienta arrastrado a meditar la intención de la pieza.

También la temporada profesional de 1957 fue tan pobre en estrenos enriquecedores de la dramática nacional como rica en importaciones de éxitos foráneos. Pero ya aquí no puede menos que anticiparse el significado de la experiencia de Teatro Caminito, levantado por Cecilio Madanes en la homónima calle boquense, en Buenos Aires, plena de "color local" y teatralidad natural. El ensayo, quizás inspirado en los de Jean Villar y el T. N. P., constituyó una revelación de posibilidades que si bien no eran totalmente novedosas en nuestro medio, por primera vez se rodeaban de espectacularidad y éxito rotundo.

Literatura dramática argentina

Recortado de la prodigalidad literaria que ostentaba en el libro, en 1957 se representa *El juez*, de H. A. Murena, sostenido más por valores extrateatrales —tema, pulcritud de lenguaje, problemática— que por la plasmación escénica. Otro novelista, Marcos Denevi, fresco aún el éxito de su *Rosaura a las diez*, tienta la escena con *Los expedientes*, sátira de la burocracia, en tono menor, bien construida y resuelta con dinamismo sorprendente en un autor novel. Posteriormente, Denevi escribió *El emperador de la China*, buena poesía teatral, en evidente progreso y perfeccionamiento de una técnica dramática, confirmada en *Orfeo*. En cambio, César Tiempo, probado autor de *El pan amargo*, *Alfarda* y *Pan criollo*, prefiere retroceder a la comedia primaria con *El lustrador de manzanas*, de recursos limpios, sí, pero elementales. En otro plano, Guido Merico, profesor de latín y crítico de cine, dejaba atrás un endeble *Te casarás, Gaspar* (1951), para ensayar el monodrama *Eurídice soy yo*, resuelto con habilidad como para hacer llevaderos sus dos momentos. No hablo aquí de originalidad, porque el monodrama constituyó otra de las modas soportadas por la dramática criolla. Incluso en el caso de *Eurídice soy yo*, el único personaje se conecta con el de otro monodrama: *Las manos de Eurídice*, de Pedro Bloch, iniciador de la boga del elenco económico en el teatro argentino.

En la temporada de 1958 se conoce la obra póstuma del humorista Arturo Cancela: *El misterio de la herradura*, que se sostiene ingeniosamente sobre derivaciones de un trauma amnésico padecido por el protagonista. Sin embargo, sólo en fugaces momentos se ve en ella la pluma que trazara los *Tres relatos porteños* y al autor ya fogueado en la escena, desde 1915, con el estreno de *El día de la flor*; al comediógrafo que había conocido el beneplácito de la crítica con *El origen del hombre* (1923); *Sansón y Dalila* (1925); al integrante de un binomio respetado, con Pilar de Luzarreta, firmante de *El culto de los héroes* (1939), *El amor a los 72*

(1941), *Cristina o la gracia de Dios* (1942) y *Alondra* (1943).

En la alineación independiente, en 1958, se conoce una pieza de León Mirlas, obligado traductor de O'Neill: *El señor Pérez no está en casa*, sátira fundada en la utopía de que para arreglar el mundo hay que eliminar el dinero, único culpable de los males de la humanidad; por lo demás, sátira arcaica en cuanto a contenido, ingenua en las soluciones.

Solly Wollorsky recrea en *El crack* una motivación popular: el fútbol, desde su otra cara de miserias, añagazas, perfidias y dando continuidad a una serie de tanteos de inquietos comediógrafos-ideólogos por recuperar ciertos asuntos de extracción multitudinaria, que otrora fuera dominio de la sainetería y que ahora podrían servir a un teatro social de definido proselitismo izquierdista, según parece insinuarse en su segundo estreno: *En la tierra del quebracho*.

En febrero de 1958, Susana de Aquino ensaya con acierto una mezcla de sátira y autosacramental en *El globo*. Luego se estrenan: *Netochka*, de Aldo Ottolenghi; *Lindo*, de Jorge Tiddone; *¡Dios se ha cansado!*, de Alma Rhode; *Adán y Eva*, de Velia Malchiodi Piñeiro, y *Próxima estación*, de Roberto Medina, ésta visible transplante de *Esperando a Godot*, de Samuel Beckett. Posteriormente, afinando su técnica, Medina escribirá *Las cuatro paredes*, *La cometa azul*, *Crónica de los lunes* y *Hogueras a la hora de la siesta*. También incursionará afortunadamente en el teatro infantil con *El vagabundo de la luna*, *La murga* y *Esta tonina está loca... loca... loca*.

Las dificultades económicas porque atraviesa el país, el incontrolado costo de la vida, lógicamente, inciden en la vida teatral y son motivo de que arraigue una modalidad de seudoteatro —o como decía Ruiz Contreras, de "semiteatro"— que da en llamarse "teatro leído". En locales independientes, en el Seminario de Autores de Argentores, en el Teatro Odeón de Buenos Aires con patrocinio oficial, en las principales ciudades del interior del país, se leen numerosas piezas, algunas de las cuales ganan la aprobación pública y luego la representación.

En 1959, Nuevo Teatro recibe triple contribución de noveles en un equipo de jóvenes intérpretes, directores y autores, que brinda tres piezas breves: *El quetzal,* de Leo Barrera Oro, débil ejercicio que identifica al ave azteca como símbolo de libertad; *La noche se prolonga,* de Jorge Massetti, monodrama algo difuso con soslayos sociales de una época que el país dejaba atrás; y *El incendio,* de G. Cazenave, crítica de incomprensiones sociales a través de un libreto con eficientes situaciones dramáticas.

También teatro de miras sociológicas compone Blas Raúl Gallo en *Cuando la huelga de los inquilinos,* al calafatear viejos moldes sainetescos con mensajes, alegatos y certera pintura de algunos tipos como el radical de 1890, el anarquista lírico, los policías, el líder obrero. Julio Ellena de la Sota mezcla fantasía y realidad en *Aguas del sueño,* oportuna en toques sentimentales y envoltura poética.

Hacia 1959, ya las actividades porteñas han cobrado un desarrollo en el cual es imposible separar la órbita profesional de la independiente, como se deslindara anteriormente. Ya ambas interfieren, se intercambian los respectivos intérpretes, directores, técnicos, autores y hasta recintos. Es, en realidad, el triunfo de la inquietud y de la vocación artística, el fruto provechoso. Proyéctanse certámenes de teatros diversos, se multiplican "carpas" —teatro nómades instalados bajo toldos en plazas y paseos— y nuevos recintos, que en parte compensan la destrucción de salas teatrales que caen demolidas bajo el sino de la especulación inmobiliaria; hay más oportunidades de ver y hacer teatro.

Sin embargo, luego de conocer el primero de los tomos del *Teatro* de Álvaro Yunque, que por entonces entra en circulación, es difícil explicarse por qué no se representa. Ágil, ingenioso, de comunicación directa con el espectador medio

—de cotización comercial, por lo tanto— así lo deja entrever la episódica representación de *Dos humoristas y ella,* a pesar de la inexperiencia del conjunto que la interpretó en un certamen municipal. Algo semejante podría decirse del teatro de Enrique Agilda, del cual se interpretó esporádicamente la hermosa comedia *El vigía de la Torre Alta.* Agilda, viejo luchador del teatro independiente, estrenó en 1933, *El clamor.* Luego, al año siguiente, *Rumbos.* Se lanzó después a una lírica siembra desde el Teatro Simiente; fue precursor del auge luego adquirido por el teatro para niños y es aún predicador avanzado en los campos del cooperativismo económico y artístico. Enrique Silberstein, en cambio, ve realzado el esquemático esbozo *Se necesitan 10.000 pesos* por la feliz puesta en escena de Los Independientes. La parquedad de la letra —otra experiencia que ha de acreditarse a la escena libre— no fue obstáculo en su caso, para que el espectador captara situaciones felices y una dinámica casi cercana al mimo.

Francisco J. Rodríguez, quien estrenó *Pericles el demagogo* en el Teatro del Pueblo, intenta con *Este ingrato oficio* una farsa bien ambientada y resuelta con recursos directos y limpios. El inevitable tropiezo de los novelistas que acceden a la escena también lo sufren Abelardo Arias con *Nuestro viaje* y Pedro Orgambide con *La vida prestada.* De eco romántico la primera, la segunda se decide por la más dura prosa de lo cotidiano, al enfrentar en la oficina de una mediocre agencia publicitaria seres semivencidos por la mentira de vivir, que quiebran la reserva de ilusiones de un joven que empieza la dura ascensión. Al tender a la síntesis expresiva —particularmente en el tercer acto— logra algunas situaciones con ritmo cinematográfico y pantomímico, aunque gravita demasiado en la pieza un pesimismo apriorístico. Algo semejante ocurre en su otra pieza conocida: *Concierto para caballero solo.*

5. *Entre 1960 y 1965*

Todavía, hacia 1960 algunos oteadores de la vida teatral se preguntan si la dramática argentina sobrevivirá. Entre otros, por ejemplo, el crítico Kive Staif, en un balance de dicha temporada, publicado en la revista *Talía* señalaba el peligro de la televisión, de la intervención negativa del Estado en las cosas del teatro, del caos económico reflejado en el teatro en costos prohibitivos de montajes y "entradas". Y, al referirse a los autores, dicho crítico advertía que entre la creciente producción nacional, los creadores aún no hallaban el camino para conciliar poesía escénica y realidad argentina en un nuevo marco verosímil.

El último lustro (1960-1965) cumplido en la recuperación de la dramática criolla lleva, en tal aspecto, signo positivo. Nuevos autores, un nuevo ángulo de visión de la realidad, un criterio diferente para expresarla, denuncian esfuerzos por captar el ser argentino, ya no en el pintoresquismo exterior, en la palabra-remedo, en lo fotográfico, sino en lo profundo de su psicología, con la palabra-poesía, en la trasposición re-creadora.

Una apretada enumeración de los más importantes acontecimientos relacionados con la dramática nacional, a partir de 1960, exhibe, en primer término, un mayor intercambio entre profesionales y vocacionales. La escena libre avanza, en dicho lapso, un nombre: el de Andrés Lizarraga, quien estrena en 1960 cinco piezas ambiciosas: *Tres jueces para un largo silencio*, *Santa Juana de América* y *Alto Perú* relacionados con la historia argentina y americana; *El carro eternidad* y *Los Linares*, esta última de costumbrismo algo pretérita. Lizarraga construye un teatro militante, denso en intenciones proselitistas, pero retórico y algo difuso. *Los Linares*, representado por Teatro de Arte, de la provincia de Santa Fe, en otro sentido, proporciona un síntoma de la expansión teatral hacia todos los ámbitos del país. En dicha provincia, pródiga en autores dramáticos, también estrena Carlos Catania: *Una nube en la alcantarilla.*

Félix M. Pelayo, periodista, novelista, cuentista, iniciado en el género dramático con el sainete *La baba del diablo,* vuelve a actualizar su firma teatral, en 1960, con *Bataclán,* biografía de una especie y de un mundillo dramáticos, con proclividad a fáciles sentimentalismos. Con anterioridad, Pelayo había estrenado en Teatro del Pueblo: *El hombre y la imagen* y *Pedido de casamiento.* El teatro para niños le debe adecuada producción entre la que se destaca *Carancafunfa, el payasito.*

Los nombres de María Cristina Verrier, Humberto Riva, David Cureses, Jorge Grasso, Marta Lehmann, José María Arozamena y Lucio Schuarmann, aparecen por primera vez en carteleras, en 1960. Autora joven y dinámica, María Cristina Verrier llega con *Los olvidados,* balbuceo donde se vislumbran posibilidades afirmadas, luego, con *La pequeña gente, La bronca* y *Naranjas amargas para mamá.* Humberto Riva en los tensos actos de *Los conflictos* intenta reflejar "la inexistente verdad del ser y la falacia de la verdad humana". David Cureses anticipa con *La frontera* una inclinación por los temas históricos, que confirmarán sus trabajos posteriores. Jorge Grasso se da a conocer a través de dos obras: *Los extranjeros* e *Historia de los Aldao,* como promisorio tejedor de soledades y tensas incomunicaciones de seres que en la escena reflejan el mundo actual. Marta Lehmann se revela con *Lázaro,* de clima rústico y pasiones hondas; luego, *Los flagelados,* un problema captado en Brasil, puso de manifiesto sus excepcionales dotes para la dramática, dolorosamente malogradas en el trágico accidente que tronchó su vida. José María Arozamena y Lucio Schuarmann, autores de *Una alegría distinta* y *Muy atentamente,* respectivamente, cuentan hasta el presente en su haber ese único estreno.

En 1960 se recordó el sesquicentenario de la Revolución de

Literatura dramática argentina

Mayo con una Muestras de Teatros Independientes. Elencos de las más apartadas regiones del país, confrontados en la Capital Federal, probaron la irradiación nacional del teatro, como un fenómeno auspicioso de la vida cultural argentina.

Por último, cabe recordar de la temporada comercial de 1960, el acierto de *Aprobado en castidad,* de Luis Peñafiel, seudónimo del actor N. Serrador Ibáñez, comedia frívola e ingeniosa, puzzle en el que todo tiene aire de viejo conocido, pero sin carecer por ello de originalidad. Representada durante varias temporadas por el propio autor, recorrió luego triunfal el continente y fue aplaudida en Europa.

La temporada de 1961 aporta para la dramática criolla el nombre y la inquietud de Ricardo Halac, joven autor, quien se inicia con *Soledad para cuatro,* escenas de juventud conflictuada y sin orientación precisa frente a la vida; la juventud argentina que se encuentra sin respaldos próximos porque detrás de ella hay una generación salteada, porque no entiende a los "abuelos" que conducen el país ni es entendida por ellos. La técnica, sensibilidad y problemática encaradas por Halac en *Soledad para cuatro,* con algo de "neorrealismo costumbrista", se prolongan en *Fin de diciembre* (1965) y *Estela de madrugada* (1965) con alguna reiteración de recursos, que erizó a una crítica que espera de Halac un provechoso madurar. José de Thomas, español, radicado en el país desde pequeño, crítico teatral, tentó la creación dramática con escaso eco o por vía del libro en *La locura del rey Federico, Isla interior, La marea, Te escribo desde el alba,* exhibiendo felices dotes en la concepción y desarrollo de sus obras. Pero, en 1961, con *El televisor* define una nota de acierto total y aplauso del público. *El televisor,* "sátira sobre la cultura envasada" señala al vivo la llaga de la incultura de una civilización masificada e hipertécnica.

Otro autor joven, Néstor Kraly, irrumpe bien dotado con *La noche que no hubo sexta,* pieza militante, de audacia ideológica, que plantea problemas concernientes al gremio de los gráficos. El mismo año 1961, con *Junio 16* —fecha del primer bombardeo de la ciudad por aviones revolucionarios de 1955— traza una crónica de un hecho luctuoso para la vida porteña que obtiene el premio Losange.

En 1962, Alberto Rodríguez Muñoz —cuyas antiguas inquietudes datan de *Cuatro horas* (1934), conocen el tropiezo de *El verde camino* (1955) y se canalizan en la crítica y la dirección— estrena *El tango del Ángel,* apertura hacia temas del barrio y de la calle porteña, con feliz ambientación expresionista-popular. *La Ñata es una dama* (1963) *Los tangos de Orfeo, Biógrafo* y *Melenita de oro* (1965) refirman la razón de una temática coincidente en varios autores del momento.

Dos escritoras, Alma Bressan y María Angélica Bosco, y un cuentista: Dalmiro Sáenz se aproximan a las tablas. Alma Bressan con *La colmena,* densa en situaciones; María Angélica Bosco con *La noche dos mil dos,* fantasiosa y cargada de literatura; Dalmiro Sáenz con la pieza de título inarticulable *QWRTYUOP,* obtenido con sólo pulsar la segunda línea del teclado de la máquina de escribir, y tan oscuro como la obra.

En el verano 1962-1963, en un teatro al aire libre, Fernando de Elizalde llega con *El conjuro,* pieza histórica sobre el "Pronunciamiento de Dolores", con calidad dramática confirmada, luego, en *El canciller.*

Así como en todo el país se nota la afirmación de la cultura teatral como efecto de una descentralización del monopolio ejercido por Buenos Aires, así también en esta capital es evidente una apertura del arte dramático, otrora congestionado en el centro urbano, hacia los barrios y los aledaños.

En las distintas zonas de Buenos Aires actúan: Nuevo Teatro Bonorino, en Flores; Teatro Florencio Sánchez, en Boedo; Teatro Libre del Oeste, en Villa Luro; La Alborada, en Mataderos; Ensayo, en Saavedra; Carlos Chaplin, en Nueva Pompeya; ATIC, en Floresta; Barrilete, en Parque Chas; El Re-

Literatura dramática argentina

tablo, en Barracas; Futuro, grupo nómade, se instala en los patios de casas de inquilinato de la Boca del Riachuelo.

Y más allá del ejido urbano también crece la dramática criolla. En La Plata, por ejemplo, capital de la Provincia de Buenos Aires, un destacado grupo de comediógrafos y de elencos realiza sus actividades: Ricardo Massa, es autor de *Memorias de una muñeca* (1960) y del monodrama *El señor Fulano* (1963), de ingeniosa concepción; Rodolfo Falcioni, médico y consagrado novelista, ensaya el teatro con *La casa sitiada* (1954) y *A través del espejo* (1957), premiadas en sendos concursos, y triunfa, en 1964, con *Beatriz se rebela*, comedia frívola de esquemática concepción; María Mombrú, profesora, cuentista, poeta y actriz del Teatro de la Universidad, firmó *En el andén* y *Las señoritas vecinas*, ésta distinguida con el premio Losange. Por su parte la Municipalidad de la ciudad de La Plata, durante estos años, promovió la actividad creadora en lo dramático y editó las obras de una serie de autores locales, algunos ya conocidos, otros nuevos. Los diversos volúmenes contienen: *Amor en vacaciones*, comedia de Lydia Iglesias; *¡Y yo soy el héroe!*, drama de Alberto de Oteiza; *La alcoba sin puertas*, de Ana Emilia Lahite; *Ómnibus 58*, de César Santibáñez; *Hollywood*, farsa de Osvaldo Urtubey; *Un tren pasa al oeste*, de Enrique Catani; *La taberna*, de Héctor Rivera; *Adán ciego*, de Alfredo Casey; *El llamado*, de Juan C. Villegas Vidal; *La Pirausta*, de Margarita Urribarri. En la misma ciudad, por vía del libro o representadas, se conocieron las obras de Argentino Gallardo: *La verdadera liberación* y *Obsesión*, ambas de 1950; *Las vacas* y *El mercader de ideas*, de Osvaldo Guglielmino.

En otras ciudades de provincias también aparecen meritorios autores que estrenan sus obras en el lugar, sin necesidad de emigrar hacia la capital, como era habitual anteriormente. Así, por ejemplo, en Mar del Plata, ciudad balnearia en la Provincia de Buenos Aires, estrenan Enrique D. Borthiry su comedia *La gaviota que comía sol* y Carlos Latorre las promisorias piezas: *La verdad en su punto* y *Funeral y discursos*. En Santa Fe, Jorge M. Paolantonio, fundador de "Teatro de Arte", del Grupo Adverbio y del Retablillo de Maese Pedro, estrenó *La ciudad* (1950), *Caso concluido*, *Cuarto de estudio* y *Siete jefes*, premiada en un concurso. Edgardo Pesante, autor de *Un lunes por la mañana*, recibió sendas distinciones por *Sitiados* y *Obando*, piezas sobre hechos históricos vinculados con su provincia. Fortunato Nari, también santafecino, premiado en Buenos Aires por la obra en un acto *Azarías* (1957), obtiene nuevos lauros para el drama *La tierra está* (1957) y para *Rey en el exilio*. *El habitante* y *La juntadora de huesos*, piezas que completan hasta el presente su producción, permanecen aún inéditas. El nombre de Ernesto Frers, autor de *En el andén* y *Las ratas* puede cerrar esta nómina de comediógrafos santafecinos laureados en diversos concursos.

De 1963 data la reaparición de Alfonso Ferrari Amores, poeta y novelista original, que había hecho teatro ya en 1934, año en que estrenó *La vida de Santa Teresita*, a la cual siguieron *Spartacus* (1940), *El hombre que poda la parra* (1943). Le atrajeron el radioteatro y el periodismo y luego de largo silencio volvió a la creación dramática con *A la sombra del alto manzano*, problema cotidiano de un barrio ciudadano concluido y editado en 1963; y con *Las sábanas blancas* (1963), tema rural de acción ubicada en el sud. Con *La toma de la bohardilla* (1964), experimento teatral premiado por la Municipalidad de Buenos Aires, transplanta a la dramática criolla los juegos de desconcierto y absurdo a lo Ionesco. Luis Ordaz, cabal historiador del teatro argentino que ensayó tempranamente la creación dramática con *Maternidad* (1937), *Sobre los escombros* (1939), *Ensueño* (1939), y *Jugando a la guerra* (1940), para caer también en prolongado silencio, vuelve a estrenar *Historias de jubilados* (1965) y *Cuentos de Fray Mocho*.

Juan Jacobo Bajarlía, ensayista inquieto por tópicos de la

Literatura dramática argentina

vanguardia estética, estrenó *La esfinge* (1955), *Pierrot* (1956), *Las troyanas* (1956) y *Monteagudo* (1960), biografía del prócer, dramatizada con respetuoso sentido histórico dentro de especial hermenéutica. También teatro histórico escribió Erwins Rubens, a quien pertenecen: *Barranca Yaco* (1941) y *El combate de San Lorenzo* (1963). Rubens intentó teatro social costumbrista en *Cuando un mundo se viene abajo* (1965).

En 1964 es ganada para la creación dramática la vigorosa personalidad del titiritero Sergio de Cecco, quien estrena *El reñidero*, proyección del tema helénico de Orestes al suburbio porteño finisecular. La fuerza teatral de la pieza primigenia parece diluirse en *Capo-cómico* (1965), idea feliz de trasplante de un momento de la vida en los viejos circos criollos, deslizada hacia el melodrama fácil. Otro hecho señalable e insólito lo proporciona el Teatro de la Recova, cuyo único recinto era una minúscula habitación donde público y actores se confundían en feliz comunión. Allí estrenaron Lucrecia Castagnino: *Caleidoscopio*, gráfico de los desencuentros e incomunicación de dos parejas, y L. Coronatto Paz: *Rata-tata*, un acto de directa crítica social.

El verano de 1964, en los jardines de Parque Rivadavia, Carlos L. Serrano reveló sus posibilidades en *La carreta sin Dios*, audaz penetración en lo histórico por los problemas de las mujeres públicas.

En la temporada oficial de dicho año, la Comedia Nacional dio oportunidad al novel Julio Mauricio para ver corporificados *Motivos*, dos actos con altibajos, pieza elegida en el certamen anual de la Dirección de Cultura, que postergó *Los vendedores*, de ágil incursión en el submundo de los "charlatanes de feria". Otro teatro oficial presenta la cantata de A. Pérez Pardella: *Las siete muertes del general*, ritornello sobre la personalidad de Facundo Quiroga; mientras que en el Teatro Argentino, recuperado para la dramática criolla, se conoce *Llegan lo artista...* de Jacobo Langsner, idea realista de aproximar dos mundos —el de las Villas Miserias y el del cine— desviada lamentablemente.

El nombre de Roberto Cossa se afirma desde *Nuestro fin de semana* como el de un buen psicólogo, buceador del alma del argentino de la ciudad y del empleo mediocre, que se sabe expresar a través de un costumbrismo neorrealista, aparentemente cotidiano y prosaico. *Los días de Julián Bisbal* (1965), ratificó esas características. Otro tema inquietante para los argentinos de hoy —el éxodo de sus técnicos— es abordado por J. Pérez Carmona en *La revolución de las macetas*, obra de compleja estructura en escenarios simultáneos, estrenada por la Comedia Nacional, que presenta además el caso de un autor novel que declara haber escrito antes treinta y tres piezas.

Para cerrar esta nómina relativa a la dramática surgida entre 1960 y 1965, quiero apuntar los nombres de Ricardo Marviso, autor de *Milagro en el sótano*; de Carlos Somigliana, lanzado en *Amarillo*, a un tema ambicioso de ambientación en la Roma antigua; de quien la segunda obra *Amor de ciudad grande* interesó menos; de Rodolfo Walsh, ingenioso creador de una aguda sátira sobre ciertos aspectos de la vida militar en *La granada*, prolongada en *La batalla*; del novelista Enrique Wernike, fecundo creador de una nueva modalidad de sainetes pintorescos que se resuelven en pantallazos ora realistas, ora expresionistas; de Griselda Gambaro, comediógrafa vanguardista en *El desatino, Viejo matrimonio, Las paredes* y *Los hermanos siameses*; todos ellos promisorios integrantes de una pléyade de autores nuevos en los cuales la literatura dramática argentina puede abrigar fundadas esperanzas.

En 1966 se produce el estreno de *Israfel*, de Abelardo Castillo, atisbo biográfico de Edgard A. Poe, premiada por el Centro Argentino del Instituto Internacional del Teatro y se intentan algunos experimentos vanguardistas a modo de "happenings". Entre los primeros cabe recordar a *El niño envuelto*, de Norman Briski; entre los segundos ha de subrayarse que si bien el arte dramático en ellos pospone su responsabilidad, abren camino a una diferente relación entre autores, público e intérpretes, con una fuerte gravitación de los factores sorpresa e improvisación.

6. *El teatro para niños*

Una actividad que se define, en la década 1955-1965, es la concerniente a la literatura infantil. Su cultivo se intensifica al punto de configurar, por una parte, especie que incorpora rico repertorio a la dramática nacional; por otra, buena fuente de esparcimiento y educación teatral para la niñez al par que filón no despreciable en atractivos económicos. No es éste lugar para entrar en teorizaciones sobre dicha especie; sólo cabe consignar aquí que lo positivo para la literatura dramática nacional es la canalización del interés de un grupo de autores hacia el arte para niños y la formación del gusto teatral en la infancia. El camino abierto por las *Farsas pirotécnicas* y otras piezas de Alfonsina Storni fue transitado en la década 1955-1965, entre otros, por Eugenia de Oro, con asiduidad en el rubro; María de Villarino, autora de *Una antigua historia de la niña-niña*; Roberto Aulés, gran propulsor del teatro infantil y concertador de piezas y espectáculos, como *Melchor, Gaspar y Baltasar o Rompecabezas para amar y cantar*; Jorge Tidone, autor de *Insuficiente, conducta mala*; Germán Berdiales, adaptador de numerosos cuentos y hechos históricos; María Elena Walsh, con *Canciones para mirar* y *Doña Disparate y Don Bambuco*; Laura Saniez, a quien se debe *Cuento de nunca acabar;* Mirta Rossler, con *Glub-Glob;* Jacobo Lasgner, con *Leoncito domador;* Carlos Serrano, con *Pepona;* Enrique Wernicke, con *El gran show de todos los vientos;* Mauricio Rosencof, con *La calesita rebelde;* Ruth

Baltra Moreno, con *El duendecito arlequín;* Carlos Mayón, con *Perico de los Palotes;* Félix M. Pelayo, autor de *Caracanfunfa y Conejín y Matambre;* A. Lizarraga, con *Caraburda, Primavera y Patapúfete*; Roberto Medina con *El vagabundo de la Luna y La murga*; y muchos otros que escapan a la memoria. Además, desde 1963, cada verano en la ciudad balnearia de Necochea, un Festival de Teatro para Niños constituye una especie de síntesis y muestra de lo mejor realizado durante el año en todo el país.

7. *Apreciación de conjunto para el período 1960-1967*

A lo largo de la serie de piezas nacionales enumeradas en este capítulo; a través de los ensayos de teatro extranjero, de los ejercicios de dirección e interpretación llevados a cabo desde múltiples grupos de estudio de teatro, de las provechosas enseñanzas dejadas por prestigiosos conjuntos que nos visitaron, como el Teatro Belga, Torrieri-Tóffano, la Comedia Francesa, los Giovanni, el T.N.P., el Piccolo Teatro de Milán, el Actor's Studio, etc. se entreven síntomas alentadores para el futuro del teatro y de la dramática criolla. Esperanzas tangibles, a pesar de las penurias económicas cada vez más intensas que padece el país; a pesar de la tremenda amenaza —al parecer en cierto modo conjugada— que pudo significar la televisión.

Entre los síntomas promisorios cuentan, por una parte, el paulatino recobrar la comunidad teatral, el hecho de la comunión entre público y escenario; por otra, el creciente núcleo de autores —entre los cuales las mujeres ocupan lugar preponderante— que vuelca sus afanes en la auténtica creación dramática argentina; luego, el hecho de la descentralización de los lugares destinados a espectáculos: el teatro hoy sale en busca del espectador a los barrios, a las provincias, a los pueblos, a las calles, a las plazas y hasta a los patios de

Literatura dramática argentina

inquilinatos; por último el teatro infantil y las escuelas de teatro.[1]

En el lapso 1930-1950 era evidente un fenómeno: la dramática vernácula en general, no concidía con las apetencias del público. Los ensayos cumplidos desde 1950, particularmente desde 1956 al presente, tratan de reencontrar, quizás todavía un tanto a ciegas, esa coincidencia. No significa esto que forzosamente se torne a un teatro fotográfico, crudo, naturalista, sin trascendencia estética, sino que se busca, en los mejores intentos, la expresión artística donde la trasposición escénica sea vehículo de unanimidad y comunión, renovando así el carácter de arte comunitario propio del teatro. No se ve muy claro, en cambio, que el reencuentro se logre a través del proselitismo de un teatro social, que aún pugna por romper el cerco intelectualista que lo constriñe. En otro sentido, se descubren nuevos caminos para trasladar al hecho escénico algo del espíritu del hombre argentino actual. Piezas como

---

[1] Aunque las estadísticas en nuestro medio –dados los numerosos imponderables gravitantes, y con perdón de los estadígrafos– tienen escaso valor comparativo, a título meramente referencial se pueden recoger algunas cifras concernientes al teatro. Pero es necesario advertir algunas circunstancias concomitantes para no caer en el espejismo del número. Desde 1947 –fecha de los datos consignados en el capítulo anterior– en la ciudad de Buenos Aires (sólo a ella corresponden las cifras) hay menor número de grandes salas teatrales y ha aumentado, en cambio, el de los pequeños recintos. Desde 1956, el teatro porteño ha ganado los veranos, con temporadas "al aire libre" y refrigeración. Sin embargo, teniendo en cuenta que el costo de la vida ha crecido en el país, desde 1947, alrededor de un 400% se verá que lo abultado de los guarismos consignados en las estadísticas oficiales pueden no ser índice veraz de la realidad del negocio teatral.

Año	Número de funciones	Número de espectadores	Recaudaciones m$n.	Prom. entrada m$n.
1947	–	287.679	1.045.732	3,95
1956	12.700	4.175.500	167.020.000	40.—
1964	9.057	2.325.072	322.435.641	138,60
1965	9.755	2.514.544	457.046.733	181.—

Raúl Héctor Castagnino

El tango del Ángel, Biógrafo y *Melenita de oro,* de Rodríguez Muñoz; *Vivir aquí,* de Gorostiza; *Nuestro fin de semana* y *Los días de Julián Bisbal,* de Roberto Cossa; *Fin de diciembre,* de Halac; *Réquiem para un viernes a la noche,* de Rozenmarcher; *Motivos,* de Julio Mauricio, *La revolución de las macetas,* de Pérez Carmona; *Los prójimos,* de Gorostiza; *Se acabó la diversión,* de Juan Carlos Gené o *La fiaca,* de R. Talesnik, entre otras, si bien puede decirse en algunos casos parecen construidas con la "técnica del grabador", por eso mismo proyectan, directa o traspuestamente, la realidad coetánea, su característica existencialidad e incomunicación, el prosaísmo de lo doméstico y cotidiano con el mínimo de figuración estética. Asimismo, por otros caminos, que regresan desde el mundo clásico, como hicieran en Francia Giraudoux, Anouihl o Sartre, se renuevan en el medio criollo las vivencias universales de temas griegos o romanos: *Antígona Vélez,* de Marechal; *El reñidero,* de Sergio De Cecco; *Medea,* de Héctor Schurjmann; *Partenopeo,* de César Magrini; *Penélope aguarda,* de Rodolfo Modern y Jorgelina Loubet; *La peste viene de Melos,* de Dragún; *Safón y los pájaros,* de Jorge Masciángioli; *Un dios para Lesbia,* de Raúl H. Burzaco; *Amarillo,* de Somigliana; *Las troyanas,* de Bajarlía, etc. son indicios de que sus autores están respaldados por una cultura teatral y actúan con criterio de procurar experiencias de verdadero laboratorio en la dramática criolla.

Cuenta también en el haber de la literatura dramática nacional durante el lapso abarcado en este capítulo, el importante concurso de poetas, novelistas y ensayistas que se acercan a la escena; Leopoldo Marechal, González Carbahllo, Pagés Larraya, Abel Mateo, Bernardo Canal Feijoo, Vicente Barbieri, Raúl Larra, Juan Carlos Ghiano, David Viñas, Gloria Alcorta, H. Murena, Rodolfo Kusch, R. Falcioni, J. J. Bajarlía, entre otros, pagando casi siempre "derecho de piso". Abundan los autores noveles que logran oportunidad de probar sus armas. Creo que difícilmente pueda hallarse en la historia del teatro criollo un momento en el que, como en los últimos lustros, los autores hayan tenido más oportunidades de manifestarse: conjuntos libres con puertas abiertas, comités permanentes de lectura en los teatros oficiales, infinidad de concursos y certámenes, teatro leído, premios municipales y nacionales para obras inéditas, auspicios oficiales de ediciones, son otros tantos trampolines para el salto decisivo. Pero muchos autores —sean noveles o ya consagrados en otros géneros— se acercan al teatro demasiado atados a modelos foráneos y sin haber hurgado lo suficiente en los secretos de la dramaturgia. Se me ocurre, ante muchos desviados esfuerzos observados, que el abecé de la formación técnica de un dramaturgo debe consistir en el convencimiento de que la letra, el texto, es sólo un elemento del hecho teatral; de que la representación es una "fiesta"; de que la escena no está sólo para que en ella se digan cosas importantes, sino que la importancia de las cosas debe surgir del conjunto en que se integran y no de sesudas elucubraciones de gabinete.

Otra de las circunstancias propicias al futuro de la dramática argentina puede ser, como antes insinué, la descentralización de las actividades. La vida teatral argentina hasta 1950 radicaba fundamentalmente en Buenos Aires; dentro de la capital en su zona céntrica; y, en el centro, a lo largo de la calle Corrientes, especie de Broadway porteño. La meta de una cartelera en la calle Corrientes era el sueño de los novicios.

Mientras duró la vitalidad de los teatros independientes, dispersos en galpones, sótanos y "cuevas", en el centro o en barrios aledaños, pequeños grupos de espectadores se acostumbraron a otros itinerarios en procura de buen teatro. Además, algunos elencos libres iniciaron un saludable nomadismo —por ejemplo, Nuevo Teatro, Arco Iris, Fray Mocho, Teatro Escuela Evaristo Carriego, etc.— que contribuyó a estimular a conjuntos del interior del país, cuya vida permanecía en latencia desde las jornadas en que José A. Saldías los invitara para el primer certamen nacional de teatros vocacionales. Merced a ese influjo cuentan ahora con "Comedia Provincial": Santa Fe, Mendoza, Córdoba, Tucumán, Buenos Aires, Mar del Plata, San Juan, La Plata, etc. El fenómeno de descentralización con la irradiación de auténtica cultura teatral hacia lo nacional, se advierte también en la instalación de conjuntos teatrales y escuelas de arte dramático, en pueblos y ciudades del interior. En la Provincia de Buenos Aires, por ejemplo, entre los muchos que se escapan al registro, actúan en La Plata: Taller de Teatro y La Lechuza, además de la Escuela Provincial de Arte Dramático y el Teatro de la Universidad; en Mar del Plata, ABC, Teatro Popular, Arte y Estudio, Organización Cultural Atlántica; en Rojas, el Teatro Florencio Sánchez; en Zárate, el Teatro Experimental; en Pergamino, Teatro Chico y Escuela de Teatro; en Chivilcoy, la Asociación Artística y El Chasqui; en Bahía Blanca, la Escuela de Teatro. En distintas ciudades y lugares de la Provincia de Santa Fe funcionan: el Teatro Independiente del Magisterio, el Teatro Experimental del Bachillerato Nocturno; el Teatro de Arte, Meridiano 61, Escuela Taller de Teatro, El Faro, Teatro de los comediantes, Teatro de los 21, además de la Comedia Provincial. En diversos lugares de Córdoba desarrollan actividades: El Faro, El Quijote, Brújula, Teatro Experimental Antorcha, Conjunto Vocacional Casino, El Juglar, además del elenco oficial de la Comedia cordobesa. Tucumán también cuenta con un Teatro Estable oficial. En Entre Ríos funciona con patrocinio oficial una Escuela de Arte Dramático y diversos conjuntos vocacionales. En San Juan, el Pequeño Teatro y un Instituto Superior de Artes. En Chubut, La Rayuela; en Santa Cruz, la Escuela de Arte Dramático; en Comodoro Rivadavia, el Teatro Gabriel Barello; en Chaco, el Fogón de los Arrieros patrocina conjuntos vocacionales lo mismo que la Asociación Mariano Moreno, de Paraná. En Jujuy trabaja el Teatro Popular; en Misiones, el Pequeño Teatro. Y es de recordar, que desde 1956,

Literatura dramática argentina

la Dirección de Cultura del Ministerio de Educación de la Nación ha enviado profesores, conferencistas, asesores y elementos para fomentar la cultura teatral a los lugares más apartados del país que los han requerido. Las jiras de los elencos no profesionales, de carácter experimental y con algo del nomadismo de los viejos circos, ha redundado también en palpable beneficio para la difusión y popularización de la afición por el arte dramático en auténtica proyección nacional. Por último, la Muestra Nacional de Teatros Independientes, en 1960, atrajo los intereses vocacionales de todo el país hacia Buenos Aires, en una confrontación de valores que probó la evolución experimentada en el transcurso de pocos años; evolución confirmada en la Nueva Muestra de 1967. Pero, por lo menos en la Capital Federal, el teatro independiente parece afrontar el duro trance de la crisis económica y de la dispersión de muchos de sus integrantes de las horas de lírica lucha, razón por la cual parece estar perdiendo vigencia.

En lo que respecta a la Capital Federal, como ya dije anteriormente, la descentralización se ha acentuado también en la línea profesional. La experiencia del Teatro Caminito, en la Boca, y la multiplicación de "carpas" y tablados en plazas y paseos públicos son realidades evidentes. Y en tren de verificaciones y cotejos no se puede dejar de señalar que esta circunstancia de la descentralización es actualmente una de las pruebas de la vitalidad contemporánea del teatro, pues el fenómeno se registra análogo en todos aquellos países donde el espectáculo escénico es, sobre todo, un hecho popular en el auténtico sentido del término. Precisamente, en junio de 1959, los conocidos opúsculos de *Le documentation française illustrée* fueron dedicadas al tema *Le descentralitation théatrale* (Nº 148) y allí se registra la presencia de carpas, representaciones en atrios, castillos, ruinas, plazas —en París y en las provincias francesas; en Italia, en Alemania— como una de las razones de la recuperada popularidad del espectáculo teatral. "Descentralización y teatro popular —se apunta— están estrechamente ligados en el espíritu de todo hombre de teatro". Este aspecto y la creciente proximidad entre profesionales e independientes, sentido de equipo, escuelas y disciplina, son los vehículos de transformación y depuración que la década 1955-1965 legará al teatro nacional. Pero junto con ellos debería legar, también, la conciencia de que el teatro como arte social, hecho comunitario y espectáculo congregante siempre amenazado materialmente, se salvará en bloque o no hallará recuperación definitiva. Porque el teatro nacional no es sólo problema de autores y textos vernáculos; es una cuestión de co-participación y de compartida responsabilidad. Que un intérprete prospere, que un autor imponga su texto, que en una "cueva" se solace una *élite,* ya no serán indicios de vida. Sólo una integración unánime y permanente podrá vencer las nuevas circunstancias y a los nuevos enemigos que en el mañana habrá de afrontar.

Índice

Advertencia preliminar 7

I. Introducción y reseña bibliográfica 9

II. Dramática colonial (1717-1810) 19

III. Expresiones dramáticas de la revolución (1810-1820) .. 29

IV. Teatro de la anarquía (1820-1829) 45

V. El teatro de la época rosista (1829-1852) 55

VI. Ensayos dramáticos durante la organización nacional (1852-1884) 63

VII. Fin de siglo y nueva centuria (1884-1910) 79
   1. Impulso hacia el florecimiento del teatro argentino .. 79
   2. El teatro gauchesco 80
   3. El "género chico"; el teatro breve 87
   4. El teatro de aliento 99

VIII. Evolución y decadencia (1910-1949) 119
   1. La declinación 119
   2. Los mantenedores 126
   3. Los renovadores 139
   4. Algunos binomios 145
   5. Las comediógrafas 147
   6. Tres poetas en el teatro 149
   7. Al promediar el siglo 151

IX. La crisis teatral argentina al promediar el siglo XX 155
    1. Factores geográficos, demográficos y económicos 156
    2. Factores de incultura teatral 159
    3. Factores sociales y de temática 160

X. La actividad teatral y la creación dramática entre 1950 y 1967 163
    1. Perspectivas 163
    2. Años de heterogénea producción 165
    3. Interferencias extrateatrales 174
    4. Después de la revolución de 1955 181
    5. Entre 1960 y 1965 193
    6. El teatro para niños 201
    7. Apreciación de conjunto para el período 1960-1967 .. 202

Este libro fue compuesto y armado en
LINOTIPIA PONTALTI, Fraga 49/53 e impreso
en los Talleres Gráficos GARAMOND S. C. A.,
Cabrera 3856, Bs. As., en junio de 1968.

Date Due

MAR 25 1971			
APR 28 1971			
JUN 5 1971			
DEC 5 1973 12/3			
DE 18 '74			
.			

Demco 38-297